LE DICTIONNAIRE DES VITAMINES

Daniel Nani

LE DICTIONNAIRE DES VITAMINES

DE VECCHI POCHE
20, rue de la Trémoille
75008 PARIS

Traduction de Nelly Turrini

Imprimé en Italie

Introduction

Les vitamines connaissent de nos jours un engouement extraordinaire. Dans tous les pays occidentaux, et en particulier aux Etats-Unis, on constate même que certaines personnes en absorbent des doses excessives et l'on observe des cas d'hypervitaminose chroniques ou aiguës.
Certes, ces abus sont exceptionnels; il n'en demeure pas moins que les vitamines sont couramment considérées comme des substances magiques. On surestime souvent leur pouvoir tout en ignorant les dangers qu'elles peuvent présenter.
Ce dictionnaire a pour objectif de faire le point sur les découvertes les plus récentes dans ce domaine, mais aussi de provoquer une réflexion sur le rapport existant entre l'homme, la nature et les vitamines. Nous y avons inclus quelques disgressions sur le problème de la nutrition et de l'ordre "moral" de la nature dont nous faisons partie intégrante. Nous avons tenté, en outre, de souligner l'importance d'une approche globale de ces problèmes. En effet, à trop morceler le savoir, nous risquons d'oublier l'essentiel.

Considérations générales

Le concept de vitamine a considérablement varié au fur et à mesure des progrès scientifiques. Etroitement liées à l'évolution de la physiologie et de la diététique, les vitamines sont en un sens indissociables des aliments qui les contiennent, bien qu'aujourd'hui un grand nombre d'entre elles soient synthétisées en laboratoire.

Elles se rapprochent des oligo-éléments par leur extrême dilution dans l'organisme, mais il existe d'importantes différences entre ces deux types de substances. Les oligo-éléments sont des minéraux, alors que les vitamines sont des substances organiques: elles ont été transformées par la chimie naturelle de la vie, à partir de substances inorganiques minérales (en particulier du carbone).

Dans l'antiquité, lorsque l'homme avait encore une vision peu analytique du monde, il aurait été impensable de séparer une vitamine de la plante ou de l'animal qui la contenait. C'est peut-être ce qui explique pourquoi l'histoire des vitamines est si récente.

A la fin du XIXe siècle, dans le cadre de recherches sur le métabolisme et la diététique, des savants s'intéressèrent à des substances dont l'absence ou la carence dans une alimentation provoquaient des troubles physiologiques. Ainsi naquit le concept de facteur vitaminique. Au départ, on pensait qu'il n'existait qu'une seule vitamine. Mais très vite on en distingua

plusieurs sortes. En effet, lorsqu'on déchiffra leur structure on s'aperçut qu'elles appartenaient en fait à des classes chimiques très diverses.
En 1882, le japonais Takaki parvint, grâce à un régime équilibré, à libérer les marins de son pays du terrible béribéri (provoqué par une carence en vitamine B_1).
Les expériences menées sur les aliments responsables du béribéri révélèrent qu'une substance protectrice, contenue dans la cuticule du riz, était absente du riz décortiqué. Cette substance semblait avoir un rôle biochimique très actif, même à doses très réduites. On découvrit par la suite que des éléments analogues étaient essentiels dans la lutte contre le scorbut, maladie qui décimait les équipages privés de fruits et de légumes frais durant de longs mois. C'est en 1911 que le chimiste Kasimierz Funk baptisa ces substances par le nom "vitamines" (de *vita*: vie, et *amine*: à cause de leur structure aminée).
Les chercheurs examinèrent alors de plus près le cadre clinique de certaines affections dont on ne connaissait pas la cause: le rachitisme chronique, la pellagre et l'anémie pernicieuse. Ces maladies avaient en commun d'être soignées essentiellement par un régime alimentaire spécifique. Grâce à la multiplication de ces études, la science de l'alimentation a fait d'énormes progrès. Ainsi, l'on découvrit que le lait ou la viande, réputés très nourrissants, ne l'étaient plus du tout lorsque les animaux dont ils provenaient souffraient de carences en minéraux et en vitamines.
Depuis les temps les plus reculés, l'homme s'est toujours fié à son instinct pour équilibrer son alimentation. Or, avec l'avènement de la civilisation moderne, nos conditions de vie ont tellement évolué qu'il est devenu indispensable de rationaliser notre savoir en matière de diététique afin de mettre au point "scientifiquement" le régime le plus adapté à nos nouvelles exigences.

Toutes les vitamines sont maintenant considérées comme des substances nécessaires au bon fonctionnement de notre organisme.
Leur absence dans un régime alimentaire provoque des troubles appelés *carences*.
Lorsque ces substances furent découvertes, on les baptisa chacune par une lettre de l'alphabet, pour les distinguer, car on ne connaissait pas encore leur composition chimique. De nos jours, elles sont le plus souvent désignées par leur nom chimique, mais ces dénominations communes ont été universellement reconnues après avoir été examinées par une commission internationale.
Elles sont divisées en deux grandes catégories: les vitamines *hydrosolubles* (solubles dans l'eau) et les vitamines *liposolubles* (solubles dans la graisse). Aujourd'hui, on utilise les lettres de l'alphabet pour désigner un ensemble de substances vitaminiques ayant une action biochimique identique. Bien entendu, chacune de ces substances a été identifiée sous un nom précis.
Actuellement, on compte 13 groupes de "vraies vitamines"; chacun d'entre eux comprenant un certain nombre de substances de structure semblable, et dont l'action physiologico chimique est identique.
Dans les tableaux des pages suivantes, vous trouverez la liste des "vraies vitamines" classées selon les critères décrits plus haut; nous précisons également les besoins quotidiens moyens de l'organisme humain en vitamines ainsi que le nom des syndromes liés à d'éventuelles carences.
Ces valeurs sont bien entendu, données à titre purement indicatif. En effet les besoins vitaminiques varient en fonction de l'âge, de l'activité, du climat, de l'environnement et de la constitution de chaque individu. Les chiffres portés sur ces tableaux s'appliquent à un homme adulte exerçant une activité moyenne.

VITAMINES LIPOSOLUBLES

Vitamine	*Nom chimique*	*Syndrome carentiel*	*Besoins quotidiens*
A	rétinol, axérophtol, bêtacarotène (provitamine)	héméralopie, xérophtalmie	5000 U.I.[1]
D	cholécalciférole, ergocalciférole	rachitisme	400 U.I.
E	tocophérol	dystrophie musculaire	12 - 15 U.I.
K	phylloquinone	retard de la coagulation du sang	

[1] U.I. = Unités Internationales (N.d.R.).

Vitamines et diététique sont étroitement liées. Il faut toutefois prendre garde à ne pas se laisser obnubiler par ce sujet. L'attitude de certaines personnes qui passent leur temps à faire des calculs savants sur la teneur vitaminique des aliments qu'elles absorbent n'est guère plus rationnelle que l'insouciance totale des anciens dans ce domaine.
Notons en outre que la quantité de vitamines absorbée dépend étroitement de la fraîcheur ou de la bonne conservation des produits. Il faut donc apprendre à bien choisir les denrées de base et à les cuisiner correctement.
De plus, n'oubliez pas que la qualité des fruits et des légumes est conditionnée par celle de la terre dont ils proviennent.
Mais j'aimerais surtout insister sur l'aspect qualitatif de l'action des vitamines. Chaque aliment contient une série de substances que les laboratoires sont maintenant en mesure de synthétiser. Toutefois, ces produits de synthèse ne remplaceront jamais les bienfaits d'un produit naturel. Cro-

VITAMINES HYDROSOLUBLES

Vitamine	*Nom chimique*	*Syndrome carentiel*	*Besoins quotidiens*
C	acide ascorbique	scorbut	45 mg
B_1	thiamine	béribéri	1 - 1,5 mg
B_2	riboflavine	dermatite, stomatite	1,1 - 1,8 mg
B_6	pyridoxine	neuropathie périphérique	1,6 - 2 mg
B_{12}	cyanocobalamine, hydroxicobalamine	anémie pernicieuse	2 - 3 μg [1]
PP	nicotinamide, acide nicotinique	pellagre	12 - 20 mg
H	biotine	dermatite desquamative	
B_c	acide folique	anémie mégaloblastique	400 μg
B_5	acide pantothénique	syndrome des pieds brûlants (?)	

N.B.: Les points d'interrogation indiquent que ces symptômes ne sont pas liés à coup sûr aux carences vitaminiques indiquées.

[1] μg = microgrammes (N.d.R.).

quer une carotte permet certes d'ingérer une certaine quantité de vitamine A et de carotène, mais pas seulement. Car la nature seule est capable de créer cet ensemble de composants qui détermine le goût typique des aliments. C'est cet élément intangible que nous baptisons "action qualitative". Et aucune préparation chimique à la carotène ne nous en fera bénéficier. Les vitamines sont des substances très sensibles aux variations de température et à toute une série d'autres facteurs physiques. Toutes les manipulations de la nourriture (conservation, stérilisation...) leur sont nuisibles.

Le goût est le plus sûr indicateur de l'intégrité des aliments. La dégradation des aliments par la cuisson complique singulièrement le calcul des besoins vitaminiques quotidiens.

Voyons maintenant quel est le rôle des vitamines dans les processus biochimiques du métabolisme.
On appelle *métabolisme* l'ensemble des phénomènes de synthèse (anabolisme) et de dissociation (catabolisme) qui constituent les transformations organiques.
Les vitamines, comme les oligo-éléments, agissent en catalysateurs, c'est-à-dire, qu'elles favorisent et accélèrent des réactions biochimiques déterminées. La plupart des vitamines entrent dans la composition de la molécule d'une coenzyme (partie d'une enzyme nécessaire au déroulement de la catalyse biochimique).
Grâce aux processus chimiques de dégradation et de synthèse, les sucres, les graisses, les protéines et tous les éléments nutritifs absorbés sont transformés et fournissent l'énergie nécessaire à l'activité cellulaire et à la constitution d'éventuelles réserves énergétiques. Ils apportent les éléments nécessaires au maintien des structures de l'organisme et à la croissance.
Si une alimentation présente certaines carences vitaminiques la croissance corporelle s'interrompt et des pathologies caractéristiques apparaissent (hypovitaminose, avitaminose).
D'autre part, on relève des cas d'hypervitaminose provoqués le plus souvent par des prescriptions thérapeutiques erronées ou par des abus spontanés de substances de synthèse (automédication). Ce phénomène se répand depuis quelques années dans les pays industrialisés où s'est développée la croyance que l'on peut "tout soigner par les vitamines" et où la consommation de préparations pharmaceutiques à base de vitamines de synthèse prend des proportions anormales.
Pourtant, si une dose excessive d'hydrosolubles est rapide-

ment éliminée par les urines, les liposolubles (A, D, E, K), elles, sont emmagasinées et ont de grandes chances de provoquer des effets secondaires indésirables en cas d'excès. Toutefois, notez qu'à dose très forte, les hydrosolubles peuvent elles aussi être toxiques.
Nous l'avons vu, les vitamines sont contenues dans les aliments (végétaux et produits dérivés des animaux).

Action vitaminique	*Aliments à teneur vitaminique maximale*
A	huile de foie de requin
D	huile de foie de flétan
E	huile de germe de blé
K	épinards
B_1	cuticule de riz, levure
B_2	levure
B_6	levure
B_{12}	foie de bœuf
PP	balle de riz, levure
H	levure
Bc	foie de bœuf, veau, porc, asperges,
B_5	levure
C	églantier, choux de Bruxelles, épinards

Les vitamines se trouvent, en moindre quantité, dans tous les autres aliments courants, lorsqu'ils sont frais.
Le tableau suivant présente une liste d'aliments et leur teneur vitaminique; lorsque la case correspondant à la rubrique "vitamines" est vide, cela signifie que l'on ne trouve pas de trace de cette substance dans ce produit.

	U.I./100 g		mg/100 g									µg/100 g		
	A	*D*	*E*	*K*	B_1	B_2	B_6	*PP*	*bêta-carotène*	B_5	*C*	*H*	*Bc*	B_{12}
Lait de vache	100-400	4	0,1	0,002	0,04	0,157	0,05-0,3	en poudre			1-2			1-4
Beurre	1.500-4.400	20-80	2-3					0,41						
Oeuf	1.000-2.000 entier	160-400 entier	1,2 entier	0,02 entier	0,3-0,5 jaune	0,3 entier	0,18 jaune			6-7 jaune		12-15 entier	10-90 entier	0,4 entier
Fromage		10-20				0,3-0,7		1-2				1,8		0,2-2
Huile d'olive			10-20											
Huile d'arachide			15-30											
Huile de germe de blé			150-500											
Huile de soja			140											
Viande de bœuf			0,4	0,1-0,2	jusqu'à 6	0,1-0,4	0,3-0,7	6-12			jusqu'à 2	2,6-3,4	10-50	2-3
Viande de porc				0,1-0,2	jusqu'à 1	0,1-0,4		6-12		0,2-1,6	jusqu'à 2	5	10-50	
Poulet					0,1		2,5	6-12				10		
Veau						0,1-4	0,3-0,7					2	10-50	
Maquereau		300-5.000				0,3-0,6		2-10				0,1-3		5
Hareng		300-1.000				0,3-0,6						0,1-3		14
Thon		300-1.000						2-10				0,1-3		
Foie de veau	10.000-40.000	20-100	1,4				1-2,5	2-5		4-7,5	10-40		30-150	
Foie de bœuf	10.000-40.000	20-100		0,1-0,2		1,7-3,4				4-7,5	10-40		30-150	20-60
Foie de porc	10.000-40.000			0,4-0,8		1,7-3,4		5-12		4-7,5	10-40		30-150	
Germe de blé	650		14-16		2	0,5-4	0,9	4,2		0,5-1,5				
Farine de blé complète	400		3,2		0,36-0,5	0,1-0,2	0,4-0,7	4,8-5,5		0,5		7-12		
Riz raffiné					0,03							4-6		
Cuticule de riz					2,3			28-140		1,5-2,7				

	U.I./100 g		mg/100 g									µg/100 g		
	A	D	E	K	B_1	B_2	B_6	PP	bêta-carotène	B_5	C	H	Bc	B_{12}
Carottes				0,01				0,2-0,9	3-12		9	3-7	10-40	
Epinards				0,6		0,2-0,4	0,1-0,5	0,5-1	2,5-8,5		90	3-7	100-150	
Tomates				04				0,5-1		0,1-0,2	20-33	3-7		
Pois				0,01-0,03	0,36 0,4-0,6		0,1-0,5	2,3-5		0,2-1,4	14-32	10-18 secs		
Haricots						0,1-0,2	0,1-05	0,5-1			10-20		10-40 verts	
Asperges												10-18	100-150	
Salade			0,3-2				0,1-0,5		2,5-8,5					
Graines de soja					0,4-0,6	0,1-0,4		2,3-5						
Pommes de terre				0,08	0,08-0,1		0,1-0,5	1,2		0,23-0,65	10-30		5-10	
Choux			2,5	0,4			0,1-0,5	0,2-0,9	2,5-8,5	0,2-1,4	30-90		10-40	
Choux de Bruxelles											90-150			
Choux-fleurs										0,2-1,4	50	20		
Abricots					0,01-0,15	0,1-0,15		0,1-0,9	1-4	0,03-0,3				
Bananes			0,5		0,01-0,15		0,1-0,5			0,03-0,3				
Oranges							0,1-0,5			0,03-0,3	50	0,5-1,5		
Citrons								0,1-0,9		0,03-0,3	50			
Poires					0,01-0,15	0,5-0,10	0,1-0,5	0,1-0,9		0,03-0,3				
Pommes					0,01-0,15			0,1-0,9		0,03-0,3		0,9		
Levure					2,5-10 sèche	3-5 sèche	4-10 de bière 4-8 sèche	50-60 sèche		14-20 sèche de bière		90 de bière		

DICTIONNAIRE

A

ABRICOT

Fruit d'un arbre originaire d'Asie centrale (*Prunus armeniaca).*

Contient de la provitamine A (bêtacarotène), des vitamines du groupe B et de la vitamine C. Il est riche en potassium.

ACTION PROTECTRICE DES VITAMINES

De récentes découvertes ont révélé que les substances vitaminiques protégeaient les cellules des tissus vivants contre les lésions occasionnées par différents agents chimiques et physiques. Tous les produits toxiques provenant du monde extérieur (médicaments, polluants industriels, etc.) altèrent la matière vivante et favorisent certaines maladies du métabolisme et des affections dégénératives.

De nombreuses études et statistiques énumèrent ces actions protectrices et examinent le rôle des vitamines dans le métabolisme. Il faut souligner que ces substances agissent d'une manière interdépendante. Les vitamines sont certes indispensables à la vie de l'organisme et au maintien du système de défense contre les agents extérieurs ou les maladies, mais il ne faut pas se leurrer: jamais, elles ne pourront lutter efficacement contre des pathologies complexes et graves telles que le cancer ou l'artériosclérose.

ADENINE

Dite vitamine B_4 c'est une *base azotée* dérivant de la purine, comme la guanine et l'hypoxantine. Les bases puriques sont des substances à structure chimique annulaire, contenues par les acides nucléiques (ADN et ARN) dépositaires du code génétique.
L'adénine est une pseudovitamine entrant dans la composition de l'ATP (adénosine triphosphate) qui joue un rôle important dans le métabolisme énergétique.

ADERMINE

Voir **Vitamine B_6.**

ALCOOLISME ET VITAMINES

L'alcoolisme est l'un des fléaux les plus inquiétants de notre époque, tant d'un point de vue social que médical.
La consommation excessive de boissons alcoolisées, surtout si elle se renouvelle fréquemment, produit un bouleversement psychologique, biologique et moral sur l'individu. L'alcoolisme est la toxicomanie la plus répandue dans nos pays industrialisés.
La toxicité des boissons alcoolisées est due à la présence d'*éthanol* et d'*alcool éthylique,* mais aussi à celle d'additifs et d'agents contaminants. L'éthanol est oxydé dans l'organisme à un taux voisin de 10 ml/h; lorsque cette quantité est dépassée, le pourcentage d'alcool dans le sang s'élève au-dessus du niveau de tolérance. A ce stade, se manifestent les symptômes d'intoxication (ivresse). La plus grande partie de l'alcool absorbé est transformée en *acétaldéïde,* une substance hautement réactive qui est rapidement transformée en *acétate* (non toxique); la concentration d'acétaldéïde dans les tissus est extrêmement faible. Jusqu'à présent on n'a pas

pu démontrer une corrélation certaine entre cette substance et les dommages physiologiques provoqués par l'alcoolisme.
L'alcool favorise l'accumulation des graisses dans le foie entraînant souvent une *stéatose hépatique* (dégénérescence graisseuse des tissus du foie). Chez certains patients peuvent apparaître des cas de cirrhose (affection chronique du foie, caractérisée par une atteinte inflammatoire de ses cellules et par une réaction de sclérose).
L'alcool peut provoquer, après le développement de la maladie hépatique, un syndrome neurologique.
L'éthylisme chronique est de nos jours l'une des causes les plus fréquentes de carences vitaminiques. Ces carences se manifcstcnt par l'apparition dc troublcs gravcs pouvant allcr de la *polynévrite* (atteinte simultanée de plusieurs nerfs) à des *encéphalopathies* graves (maladies du cerveau). L'absorption abusive d'alcool détermine un besoin de vitamine B_1 supéricur à la moycnnc.
Les éthyliques souffrent donc très souvent d'une hypovitaminose, voire même d'une avitaminose B_1.
Mais le problème en cas d'alcoolisme chronique est beaucoup plus vaste. En effet, les alcooliques ont tendance à s'alimenter presque exclusivement de boissons alcoolisées, très riches en calories, dédaignant les aliments normaux. Il s'ensuit bien entendu de graves déséquilibres nutritifs et par voie de conséquence une carence vitaminique généralisée. Notons que ce phénomène concerne à la fois les vitamines liposolubles et les vitamines hydrosolubles.
D'un point de vue phénoménologique, il est intéressant de noter que le culte de Dionysos (dieu du Vin) était opposé à celui d'Apollon (dieu des Arts et divinité solaire).
En Dionysos, on célébrait les forces impulsives et passionnelles, tendant à la disparition des formes et des structures et procurant l'ivresse et l'exaltation. Or, l'alcool a une action en quelque sorte "antivitaminique", les vitamines sont,

dans une perspective phénoménologique, liées à la dynamique de la lumière, donc du soleil, élément apollinien.

ALIMENTATION ET TRADITION SPIRITUELLE

L'alimentation a toujours été profondément liée à la religion, tant en Orient qu'en Occident.
Le christianisme, en particulier, insiste sur l'importance de la relation entre la nourriture, le corps et l'esprit.
En général on ne considère que l'aspect symbolique de pratiques telles que la communion. Elles peuvent toutefois être interprétées à la lumière d'une conception unitaire spirituelle et naturelle.
Pour V. Renzenbrink, chercheur en science de l'alimentation: "Ce qui se passe lors du culte a lieu également dans le corps avec la substance de chaque aliment qui est lui aussi transmuté après avoir été détruit et élevé à la sphère sprituelle. Intervient alors la communion, l'union avec les forces externes créatrices de l'univers... Les mystiques du Moyen-Age appelait le corps "le temple de dieu... Lorsque l'homme nourrit son corps, il accomplit un acte divin, en ce sens".
Ne devrions-nous pas méditer sur cette pensée et comprendre qu'il est de notre devoir de choisir et de préparer comme il se doit notre nourriture quotidienne.

ALIMENTS

Les aliments sont composés de substances appelées *principes nutritifs (protéines* ou protides; *hydrates de carbone* ou glucides, ou bien encore sucres; *graisses* ou lipides; *vitamines, sels minéraux, eau).*
L'homme et les animaux sont incapables de se nourrir à partir de molécules inorganiques simples, provenant de l'environnement, ou d'emmagasiner l'énergie de la lumière solaire pour synthétiser des matériaux plus complexes, nécessaires

à la croissance et à la vie. Au contraire, ils ont constamment besoin d'absorber des molécules complexes, synthétisées par les organismes végétaux. Ces substances doivent être décomposées pour libérer de l'énergie. Ce sont elles qui permettent la construction et le développement des êtres vivants.

Les aliments sont classés en trois grandes catégories:

a) ceux qui fournissent essentiellement de l'énergie et qui sont donc riches en calories (féculents, sucres, graisses);

b) ceux qui fournissent les éléments permettant la construction de l'organisme, c'est-à-dire avant tout les protéines contenues dans la viande, le poisson, les laitages, les œufs, mais aussi les céréales complètes (froment, soja, orge, maïs, etc.);

c) ceux qui fournissent les éléments régulateurs des processus vitaux, comme les vitamines et les minéraux, contenus en général dans les végétaux.

Selon certains auteurs ces trois catégories se trouvent en parfait équilibre dans les céréales avant qu'elles ne soient altérées par le blutage (voir ce mot).

Pour être complet, nous mentionnerons enfin un dernier élément fondamental: l'eau intermédiaire indispensable à toutes les opérations chimiques. C'est elle qui véhicule les substances réparatrices des tissus et permet l'élimination des déchets. De plus, elle régule la température corporelle grâce à l'évaporation cutanée et pulmonaire.

Chaque mouvement conscient ou inconscient de l'organisme implique une consommation d'énergie par combustion interne et dispersion de chaleur. Cette énergie est fournie par les aliments.

Pour évaluer la quantité de chaleur développée par la combustion des protéines, des graisses et des sucres, on utilise un calorimètre. On appelle calorie la quantité de chaleur nécessaire pour élever de 0 à 1° la température d'un litre d'eau distillée.

La valeur énergétique potentielle de:
— 1 g de protéine est de 4,1 calories;
— 1 g de graisse est de 9,3 calories;
— 1 g de sucre est de 4,1 calories.

L'aliment n'étant jamais totalement utilisé par l'appareil digestif, ces valeurs se réduisent à 3,68 calories pour les protéines, 8,65 calories pour les graisses, et 3,88 pour les sucres.

Le besoin énergétique dépend de toute une série de facteurs tels que le travail musculaire, le sexe, l'âge, la température ambiante, le climat et d'une manière générale l'état de santé.

Mais ces notions quantitatives ne rendent qu'imparfaitement compte de la complexité du problème alimentaire. Il faut en effet souligner que les produits que nous absorbons aujourd'hui ont perdu une partie de leurs propriétés naturelles.

Il faut donc étudier notre alimentation en fonction de facteurs qualitatifs. En réalité, c'est le rapport que nous entretenons avec notre corps et le monde extérieur qui est à considérer lorsque l'on aborde le problème de la nutrition.

Il faut aller au-delà des classifications scientifiques et essayer d'avoir une vision globale de tous ces phénomènes naturels.

ALTERATION DES VITAMINES

Les vitamines peuvent être altérées et rendues inactives par différents facteurs physiques et chimiques.

Examinons ce problème d'un point de vue général en décrivant l'altération de ces substances dans des conditions expérimentales. Les causes d'altération, liées à la manipulation des éléments, seront traitées plus loin (voir **Préparations alimentaires et Technologie alimentaire et vitamines**).

Notons que la notion de "stabilité" à la chaleur ne peut s'appliquer aux conditions de cuisson où l'on atteint des températures plus élevées et où de nombreux facteurs interviennent.

VITAMINES LIPOSOLUBLES

• *Vitamine A.* Se dégrade rapidement sous l'action de la lumière, de l'oxygène et des acides. La présence d'antioxydants tels que la vitamine E améliore sa stabilité.

• *Vitamine D.* Se dégrade rapidement sous l'action de la lumière, de l'oxygène et des acides.

• *Vitamine E.* Résiste à la chaleur, aux acides et aux alcalins. Se dégrade sous l'action de l'oxygène et de la lumière. Elle est particulièrement sensible aux rayons ultraviolets.

• *Vitamine K.* Assez stable.

VITAMINES HYDROSOLUBLES

• *Vitamine B_1.* Résiste relativement bien à l'oxygène et à la chaleur. Se dégrade sous l'action de la lumière, en particulier des rayons ultraviolets. Elle est très soluble dans l'eau. Elle est stable en solution acide et instable en solution alcaline.

• *Vitamine B_2.* Elle est stable en solution acide et instable en solution alcaline. Elle résiste bien à la chaleur et à l'oxygène de l'air. Elle se dégrade sous l'action de la lumière, en particulier des rayons ultraviolets. Elle n'est pas très soluble dans l'eau, contrairement à la vitamine B_1.

• *Vitamine PP.* Elle est stable sous l'effet de la lumière et de la chaleur. Résiste à l'oxygène.

• *Vitamine B_5.* Assez stable. Sous la forme d'acide pantothénique, elle est sensible à la chaleur, aux acides et aux alcalins. Sous la forme de pantothénate de sodium ou de calcium, elle est stable à la chaleur.

• *Vitamine B_6.* Elle est très soluble dans l'eau, et stable à la chaleur et à l'oxygène. Elle se dégrade sous l'action de la lumière en solution neutre et alcaline. Elle est plus stable en solution acide.

• *Vitamine H.* Elle est stable à la chaleur et résiste jusqu'à 100° si elle se trouve dans une solution neutre. Elle est sensible à l'oxygène et à la lumière, en particulier aux rayons ultraviolets.

• *Vitamine Bc.* Elle est stable à la chaleur et à l'oxygène en solution neutre ou alcaline, et instable en solution acide. Elle se dégrade sous l'effet de la lumière, en particulier des rayons ultraviolets.

• *Vitamine* B_{12}. Assez stable.

• *Vitamine C.* En solution aqueuse, elle se dégrade facilement au contact de l'oxygène de l'air. L'oxydation est favorisée et accélérée par la chaleur, par les substances alcalines et par des traces de métaux lourds.

AMINES CEREBRALES
Voir **Neuromédiateurs.**

AMINOACIDES
Ce sont les composants fondamentaux des protéines. L'organisme de l'être humain et celui de la plupart des animaux sont incapables de synthétiser certains acides aminés dits *essentiels* qui doivent être absorbés avec les aliments.
Les aminoacides sont également les précurseurs de nombreuses substances organiques fondamentales (par exemple celles qui sont indispensables aux fonctions cérébrales). Ils sont notamment à l'origine de certains neuromédiateurs assurant la transmission des influx nerveux.

En outre, ils peuvent subir de nombreuses transformations lors des processus métaboliques de l'organisme. La vitamine B_6 agit dans le métabolisme de certains acides aminés comme l'acide glutamique et le triptophane qui jouent un rôle important dans le système nerveux.

ANEMIE

Par anémie on entend une diminution du nombre des globules rouges du sang ou de leur teneur en hémoglobine.
Cette situation peut être provoquée par une réduction de la production des globules rouges, par un ralentissement de la synthèse de l'hémoglobine par les cellules mères (*précurseurs érythroïdes*) de la moelle osseuse, par un accroissement de la destruction des globules rouges, par une perte de sang excessive ou la combinaison de tous ces facteurs.
Les carences en vitamine Bc (acide folique) et B_{12} causent des *anémies mégaloblastiques,* dues à un trouble de la maturation des noyaux des précurseurs des globules rouges de la moelle osseuse. La maturation intramédullaire des globules rouges dure approximativement cinq jours et dépend de la disponibilité de ces deux vitamines. Il faut souligner que le sang est un "tissu liquide", hautement individualisé. Il semble renfermer l'essence même du corps humain. Il a un rôle fondamental dans le processus de la vie.
Les Anciens mettaient l'accent sur le lien étroit qui lie le sang et l'âme. Origène, mystique chrétien (185-254 après J.C.), affirmait dans un dialogue avec Héraclite que l'âme est le sang de l'homme "invisible". Le sang symbolise alors la réalité de l'âme.
Cette pensée devrait nous inciter à réfléchir sur le rapport que nous entretenons avec les substances vitales. Peut-être devrions-nous faire preuve de plus de respect envers elles et ne pas nous contenter de les étudier abstraitement.

ANEMIE MEGALOBLASTIQUE
Voir **Carences en vitamine Bc** et **B_{12}.**

ANEMIE PERNICIEUSE
Voir **Carence en vitamine B_{12}.**

ANEURINE (ou **thiamine)**
Voir **Vitamine B_1.**

ANTHOCYNIDINE
Substances naturelles contenues dans les fleurs et les fruits. Elles sont composées de pyrile dont la structure moléculaire annulaire est constituée de 5 atomes de carbone et 1 atome d'oxygène. Les anthocynidines présentent des analogies avec les *bioflavonoïdes* et l'on pense que les plantes sont capables de créer les unes à partir des autres.

ANTIVITAMINES
Ce sont des substances spécifiques qui peuvent perturber l'action physiologique des vitamines. Elles peuvent être introduites dans le corps par l'intermédiaire d'aliments ou de médicaments. Elles altèrent l'activité biochimique des vitamines et perturbent leur absorption intestinale.
L'exemple typique d'une telle substance est l'*avidine,* présente dans le blanc d'œuf, qui empêche l'absorption intestinale de la vitamine H (cet effet néfaste est supprimé par la cuisson).
La chair crue de certains poissons d'eau douce, comme la carpe, ainsi que certaines bactéries contiennent des enzymes (thiaminases) capables de scinder les molécules de la vitamine B_1 (thiamine).

ARACHIDONIQUE acide
Voir **Vitamine F.**

ARTERIOSCLEROSE
Maladie de la paroi des artères provoquant leur durcissement. Elle se caractérise par des dépôts localisés de graisse, de sucres complexes, de tissus fibreux, de calcium, etc. Elle peut avoir comme cause initiale des facteurs d'ordre mécanique (hypertension artérielle), chimique (augmentation du taux des graisses dans le sang) ou immunologique (maladie du sérum). En cas d'artériosclérose, il se produit une agrégation des plaquettes sanguines dans la zone atteinte. On assiste alors à un processus de coagulation aboutissant à la formation d'un thrombus (caillot) qui obstrue et rétrécit les artères touchées. Lors du processus de formation des *prostaglandines* par les acides gras polyinsaturés (vitamine F), certains composés intermédiaires, les *endopéroxydes,* peuvent se transformer en des substances favorisant l'agrégation des plaquettes (thrombosants); mais il se forme aussi des substances dont l'effet est au contraire d'inhiber cette agrégation (prostacycline); (voir **prostaglandine).**
L'artériosclérose est très fréquente dans les pays industrialisés où les bouleversements culturels ont amené de profondes perturbations des habitudes alimentaires et du comportement (stress).

ASCORBIQUE (acide)
Voir **Vitamine C.**

ASPERGES
Plantes de la famille des liliacées, cultivées depuis l'Antiquité

dans les régions tempérées. Les asperges, originaires de Mésopotamie, contiennent des vitamines du groupe B (en particulier de l'acide folique Bc), ainsi que des vitamines E et C. Elles sont riches en phosphore.

ATP

Ce sigle désigne un composé très répandu, appelé *adénosine triphosphatée.* Cette substance joue un rôle important dans le métabolisme énergétique.

AVOINE

(Avena sativa) est une plante appartenant à la famille des graminacées. Elle pousse essentiellement sous les climats humides. Elle est consommée dans les pays anglo-saxons sous la forme de "porridge" au petit déjeuner. Elle contient des vitamines des groupes B et E.

AXEROPHTOL

Voir **Vitamine A.**

BANANE
Fruit tropical contenant essentiellement de la vitamine B_6, mais aussi de la vitamine E at A. Richc cn potassium et en magnésium.

BERIBERI
Voir **Carence en vitamine B_1.**

BIOTINE
Voir **Vitamine H.**

BIOFLAVONOÏDES
Dits aussi *vitamine P,* ils comprennent des substances appelées flaviglycosiliques. On les considère comme des facteurs de régulation vasculaire et ils sont aujourd'hui répertoriés comme des pseudovitamines. Leur action est en général liée à celle de la vitamine C. On en trouve dans certains végétaux tels que poivrons, tomates, poivre vert, sarrasin, myrtille mais surtout dans les agrumes, les cerises et les abricots. Leur action serait bénéfique aux capillaires dont ils sont censés accroître la résistance et diminuer la perméabilité.

BLUTAGE

Opération de raffinage permettant d'obtenir la farine. Pour le froment, la farine la plus raffinée est la 00, dont la caractéristique principale, outre la blancheur, est sa pauvreté en principes nutritifs.

CALCITONINE

Hormone de la thyroïde qui abaisse les taux de calcium et de phosphore dans le sang en empêchant la résorption osseuse. Elle est constituée de 78 acides aminés et a donc une structure de type protéique.

CALCIUM

Voir **Composants minéraux de l'organisme.**

CAPILLAIRES

Très fins vaisseaux situés entre les artérioles et les veinules. Leur paroi extrêmement mince permet les échanges nutritifs et gazeux entre le sang et les cellules. Normalement, les globules rouges et les protéines ne doivent pas les traverser. Les protéines sont responsables de la pression "osmotique" grâce à laquelle les substances contenues dans les liquides extérieurs aux vaisseaux sont attirées à l'intérieur et intègrent la circulation sanguine, alors que les liquides du sang y sont maintenus.
Lorsque les capillaires sont trop fragiles ou trop perméables (cas d'inflammation, de déséquilibre de pression....), le sang traverse la paroi et les protéines s'échappent dans le *liquide interstitiel,* situé entre les cellules.

La vitamine C et les bioflavonoïdes protègent et renforcent les capillaires. En cas de scorbut, dû à une avitaminose en vitamine C, l'on constate une perte de l'intégrité des vaisseaux sanguins, provoquée par une altération de la synthèse du collagène (substance intercellulaire du tissu conjonctif). La fragilité des capillaires se manifeste par des hémorragies cutanées et du tube digestif.

CARENCE EN VITAMINE A

Chez l'homme, l'hypovitaminose A est généralement causée par des troubles de l'absorption intestinale. Ce sont essentiellement la peau et le système nerveux qui sont touchés. L'un des premiers symptômes de cette carence est l'*héméralopie* (affaiblissement ou perte de la vision en lumière peu intense, au crépuscule par exemple). A un stade plus avancé de la maladie, on constate de graves altérations de la cornée qui se dessèche et s'opacifie *(xérophtalmie)*, ainsi que des ulcérations *(kératose)*.
On peut aussi assister à l'apparition de papules (petites éminences rouges qui s'élèvent sur la peau), formées de cellules kératinisées (la kératine est la substance protéique fondamentale des poils, des ongles, des sabots, des cornes ainsi que des plumes).
Cette hyperkératose rend la peau rugueuse et peu agréable au toucher. Ces lésions ne sont jamais localisées sur le visage mais à l'arrière du cou, des épaules, sur les bras et les avant-bras, les fesses, sur la partie externe des cuisses et des jambes.
Cette hypovitaminose peut également toucher les appareils digestif, respiratoire, urinaire et génital, et se manifeste surtout par une altération des cellules épithéliales des muqueuses.
A ces symptômes peuvent s'ajouter, dans certains cas, des calculs rénaux, de l'anémie, une inappétence, et une moindre résistance aux maladies infectieuses et au stress.

CARENCE EN VITAMINE B_1

Une hypovitaminose B peut apparaître lorsque l'on s'est nourri pendant une longue période de céréales très raffinées, ou d'aliments appauvris par la conservation.
Les causes les plus fréquentes de carence grave en vitamine B sont d'une part les troubles de l'absorption intestinale (vomissements et diarrhées prolongées, infections intestinales chroniques, suites d'interventions chirurgicales du tube digestif...) et d'autre part l'alcoolisme chronique.
Voici la liste des principaux symptômes de carence.

• *Etat général.* Fatigue, amaigrissement, perte d'appétit, troubles digestifs, constipation.

• *Système nerveux périphérique.* Atrophie musculaire révélée par une diminution de la masse musculaire, troubles de la sensibilité, douleur aux mollets, disparition des réflexes tendineux.

• *Psychisme.* Etat dépressif, trouble de la mémoire, irritabilité, difficulté de concentration.

• *Système cardio-vasculaire.* Accélération du rythme cardiaque, essoufflement, douleur à la poitrine et œdèmes.
Tous ces troubles sont symptomatiques du béribéri, maladie répandue de nos jours encore en Extrême-Orient où la population se nourrit essentiellement de riz décortiqué.

CARENCE EN VITAMINE B_2

Très rare sauf en cas de jeûne prolongé, car la plupart des aliments en fournissent en général une quantité suffisante.
Une carence peut toutefois se manifester chez les bébés nourris au lait artificiel, si celui-ci ne contient pas assez de vitamine B_2, ou chez des sujets soumis, sur une longue période, à un

régime déséquilibré (déficit en protéines, excès de graisses et de sucre). Cette hypovitaminose s'accompagne alors d'autres signes de déficit protéique et vitaminique.
Voici la liste des principaux symptômes de carence en vitamine B.

• *Lésions de la peau et des muqueuses.* Fissures à la commissure des lèvres, dermatite séborrhéique du visage (arête du nez, extrémité des sourcils, lobes des oreilles).

• *Lésions buccales.* Stomatite.

• *Lésions des yeux.* Vascularisation de la cornée (structure ne comportant pas normalement de vaisseaux), larmoiement, photophobie (littéralement: peur de la lumière).

CARENCE EN VITAMINE B_5

L'acide pantothénique, ou vitamine B_5, est présent dans la plupart des aliments et les carences sont exceptionnelles.
L'on a décrit des états carentiels provoqués expérimentalement par un régime particulier accompagné de l'administration d'acide oméga-méthyl-pantothénique, qui, possédant une structure chimique très similaire, agit contre la vitamine B_5 (elle est dite "antivitamine").
Les principaux symptômes de cette hypovitaminose sont la fatigue, des migraines, des nausées et des vomissements, accompagnés parfois de douleurs à l'abdomen et au creux de l'estomac.
L'on a également observé des troubles de la sensibilité des extrémités des membres, avec sensation de fourmillement et de brûlures. En Extrême-Orient l'on a découvert un syndrome dit "des pieds brûlants" chez les sujets victimes de malnutrition. Ces troubles sont combattus efficacement par l'administration d'acide pantothénique à forte dose.

CARENCE EN VITAMINE B_6

Les syndromes carentiels sont rares car la vitamine B_6 se trouve dans la plupart des aliments. En revanche, on rencontre plus fréquemment des troubles liés à une augmentation des besoins (grossesse, déséquilibre de l'apport protéique...). En outre on observe des cas de carence provoqués par certains médicaments: contraceptifs, isoniazide (antituberculeux) et la d-pénicillamine.

Les symptômes d'un manque de vitamine B_6 sont la glossite (inflammation de la langue) de type pellagreux, la stomatite (lésion de la cavité buccale) et des troubles séborrhéiques autour des yeux, du nez et de la bouche.

En cas de carence prolongée (traitement de longue haleine par les isoniazides par exemple), on a constaté des troubles du système nerveux périphérique (polynévrite distale par exemple) avec disparition des réflexes, trouble de la sensibilité, sensation de brûlure.

Chez les nourrissons, les troubles carentiels se manifestent par des crises convulsives.

CARENCE EN VITAMINE B_{12}

Cette carence se manifeste le plus souvent par une anémie pernicieuse. Cette maladie n'est pas due, en réalité à un apport insuffisant en vitamine B_{12} mais au fait que le "facteur intrinsèque" (protéine contenant du sucre nécessaire à cette vitamine), n'est pas synthétisé au niveau de la muqueuse gastrique.

Au cours du développement de cette maladie, on assiste à l'apparition de trois syndromes.

• *Syndrome commun à toutes les anémies.* Pâleur, migraines, fièvre, sensation d'étouffement, accélération du rythme cardiaque et respiratoire, insuffisance cardiaque.

• *Syndrome digestif*. Troubles gastro-intestinaux non spécifiques, diarrhées, perte d'appétit, langue douloureuse, etc.

• *Syndrome neurologique*. Torpeur, fourmillement aux pieds et aux mains, mauvaise coordination de certains mouvements, perte de la sensibilité tactile.
On pense que les lésions touchant le système nerveux sont liées à une altération du métabolisme des lipides, provoquée par la carence en vitamine B_{12} qui ne peut plus intervenir dans la synthèse des lipoprotéines de la gaine de myéline des fibres nerveuses. La myéline est la substance grasse qui entoure les fibres des nerfs périphériques. Une carence en vitamine B_{12} peut occasionner une dégénérescence irréversible, par démyélisation, des cordons postérieurs et latéraux de la moelle épinière (myélose funiculaire).
La carence en vitamine B_{12} est exceptionnelle. La maladie de Biermer n'est pas provoquée par une carence mais par des troubles de l'absorption d'origine génétique. Elle frappe particulièrement les habitants du nord de l'Europe sous la forme de leucodermie ou albinisme partiel (taches blanches sur la peau alternant avec des zones hyperpigmentées).

CARENCE EN VITAMINE Bc

Les carences en acide folique (vitamine Bc), provoquent une altération de la synthèse de l'ADN (acide déoxyribonucléïque, voir **Reproduction**) et entraînent des anomalies dans le noyau des cellules, en particulier celles des tissus se reproduisant à un rythme rapide, comme la moelle osseuse. Ces altérations sont dites "mégaloblastiques". Les mégaloblastes sont des cellules aux dimensions plus importantes que la moyenne et dont le noyau n'a pas atteint la maturité.
De telles cellules, incapables de porter la mitose à son terme (voir **Reproduction**), sont des précurseurs des globules rouges et meurent dans la moelle.

L'anémie mégaloblastique se manifeste par l'apparition progressive de symptômes comme la perte d'appétit, des troubles digestifs, une pâleur, une moindre résistance à la fatigue et une accélération du rythme cardiaque et respiratoire.
Elle offre par conséquent de grandes similitudes avec l'anémie pernicieuse (due à une carence en vitamine B_{12}).
La carence en apport nutritif est rare; l'hypovitaminose Bc est souvent provoquée par des troubles de l'absorption intestinale ou hépatique, ou par la prise répétée de médicaments anticonvulsifs, utilisés pour le traitement de l'épilepsie.

CARENCE EN VITAMINE C

Le scorbut est la plus commune des affections dues à une carence en vitamine C.
Depuis des siècles, l'on sait que l'on peut guérir certaines maladies fréquentes chez les navigateurs grâce à des cures de jus de citron.
François-Joseph-Victor Broussais, médecin français (1772-1838), décrit ainsi le scorbut: "Le scorbut est un état particulier des solides et des fluides produit par une assimilation imparfaite; ses causes sont donc multiples; mais le froid, le manque de lumière, la tristesse et la mauvaise nourriture sont les principales. Pendant l'évolution de la maladie, on observe une perte de l'intégrité des tissus des vaisseaux sanguins, due à une mauvaise synthèse du collagène (substance intercellulaire). La fragilisation des capillaires se manifeste par une grande fréquence des hémorragies cutanées et buccales". Aujourd'hui cette maladie a pratiquement disparu, toutefois, il subsiste de nombreux cas d'hypovitaminose C, causée par une alimentation déséquilibrée.
Les symptômes de cette hypovitaminose sont peu visibles, cette carence est donc difficile à diagnostiquer. On observe souvent une grande fatigue, un amaigrissement important,

des migraines, des douleurs osseuses et une moindre résistance aux maladies infectieuses.
Dans de rares cas, l'on a constaté chez des nourrissons allaités artificiellement une forme carentielle nommée *scorbut infantile*. Il se traduit par une perte de poids, une diminution de l'appétit et une grande irritabilité du bébé qui hurle dès qu'on le touche. Par la suite, apparaissent des hémorragies sous la membrane qui entoure l'os (périoste), ainsi que des saignements des gencives, de la peau et des muqueuses.

CARENCE EN VITAMINE D

Les carences en vitamine D se révèlent de manière différente chez l'enfant et chez l'adulte. La forme infantile typique de cette hypovitaminose est le rachitisme qui se manifeste surtout durant les premières années de la vie et peut être considérée comme une ostéopathie accompagnée de déminéralisation. Dans les six premiers mois, le symptôme le plus flagrant est un ramollissement des régions occipitales, temporales et pariétales du crâne *(craniotabès)*.
L'altération des processus de calcification rend les os longs moins résistants. Les membres inférieurs se déforment sous l'effet du poids du corps.
Une autre manifestation typique de cette carence est le *chapelet rachitique* (alignement de nodosités dues à une hypertophie des cartilages, de chaque côté du sternum).
Les os plats et les dents peuvent également être touchés.
Les enfants rachitiques présentent parfois des muscles et des ligaments hypotoniques ce qui risque de retarder le développement de leurs facultés motrices.
Une diminution de la quantité de calcium dans le sang peut provoquer des complications graves (convulsions violentes et, plus rarement, crises de tétanie ou constructures musculaires).
D'un point de vue histologique (analyse des tissus), le

rachitisme se caractérise par une faible minéralisation de la matrice cartilageuse des nouveaux tissus. Le cartilage continue à croître et les nouvelles couches de cellules ne sont pas normalement détruites. Cela signifie que l'équilibre entre les processus de construction et de destruction des os ne s'établit plus. Par conséquent, la zone d'"ossification provisoire" devient plus étendue et de forme irrégulière. Le résultat de cette prolifération chaotique est une minéralisation insuffisante.
Rappelons que chez l'adulte, les carences en vitamine D se manifestent par l'ostéomalacie (altérations osseuses comparables à celles qui sont provoquées par le rachitisme chez l'enfant). Dans ce cas, toutefois, les os étant déjà formés et la croissance terminée, les déformations sont différentes. La déminéralisation de la matrice protéique de l'os entraîne une malléabilité anormale du squelette accompagnée de douleurs et de l'impossibilité d'effectuer certains mouvements.

CARENCE EN VITAMINE E

On ne connaît pas, d'une manière certaine, de troubles liés à cette carence.
Toutefois, on a constaté chez les bébés prématurés certains cas d'hypovitaminose E se manifestant par l'anémie hémolytique (destruction des globules rouges du sang par éclatement).
Chez l'adulte, on observe parfois des formes de dystrophie des muscles avec réduction du tissu musculaire et présence de substances grasses du type pigments, qui pourraient être assimilées à des manifestations de carence en vitamine E chez les animaux. Toutefois, il n'existe aucune preuve que ces phénomènes soient liés à une hypovitaminose.
Chez les animaux de laboratoire, chez le rat, en particulier, les carences en vitamine E produisent des lésions des glandes reproductrices, et parfois même un arrêt de la spermatogenèse (production des cellules reproductrices mâles).

CARENCE EN VITAMINE F

L'apparition d'un état carentiel en acides gras essentiels est possible, même si elle reste rare. On attribue à ces carences diverses altérations de la peau (dermatoses), comme la séborrhée, l'acné, l'eczéma infantile ainsi que certains troubles de la croissance. Cet ensemble de phénomènes a été décrit pour la première fois en 1929 et a été baptisé syndrome de Burr du nom du chercheur qui, le premier, fit le lien entre ces symptômes et l'hypovitaminose F.

CARENCE EN VITAMINE H

Chez l'homme, des carences spontanées n'ont été observées que durant les premières années de la vie. Cette hypovitaminose se manifeste alors par une dermatite séborrhéique, avec inflammation et desquamation du cuir chevelu et des joues.

CARENCE EN VITAMINE K

Chez l'homme, elle est rarement liée à des problèmes nutritionnels. En revanche, elle peut se manifester sous la forme d'hémorragie lorsque la flore intestinale a été modifiée par un traitement antibiotique prolongé. Dans ce cas, on observe des troubles de l'absorption intestinale des lipides, comme par exemple des ictères obstructifs (pénétration de la bile dans les vaisseaux sanguins causée par une obstruction des voies biliaires provoquant une augmentation du taux de bilirubine dans le sang: *hyperbilirubinémie).*

Des hémorragies provoquées par une carence en vitamine K peuvent survenir également au cours de thérapies utilisant des anticoagulants tels que la *coumarine* ou l'*indanédione* dont la structure chimique est proche de celle de la vitamine K et qui inhibent la synthèse de la prothrombine et des autres facteurs coagulants dépendant de la vitamine K, dans le foie. Chez les nouveau-nés la carence en vitamine K est physiologique et dure quelques jours après la naissance, jusqu'à ce que l'introduction d'aliments et le développement de la flore intestinale fournissent la quantité nécessaire.

CARENCE EN VITAMINE PP

Une carence en vitamine PP provoque chez l'homme une maladie connue sous le nom de *pellagre*.
Aujourd'hui, toutefois, cette affection n'est plus attribuée à une hypovitaminose spécifique mais à une malnutrition généralisée. Autrefois très répandue, elle a, de nos jours, quasiment disparu.
Les symptômes classiques sont regroupés sous le nom des "trois D": dermatite, démence et diarrhée.
On observe très fréquemment des lésions de la muqueuse buccale et de la peau (en particulier des parties exposées au soleil: érythème douloureux).
Les troubles neuro-psychiques sont plus tardifs et variés. Ils se manifestent au début sous la forme de troubles de la sensibilité au niveau des membres, et peuvent s'aggraver par la suite. A un stade avancé, on constate l'apparition d'insomnies chroniques, de dépressions et de troubles obsessionnels.

CARNITINE

Dite *vitamine B_{11}*. C'est une pseudovitamine ou vitaminoïde que l'organisme est en mesure de synthétiser à partir de la lysine (acide aminé contenu dans les protéines).
La carnitine fut isolée pour la première fois à partir d'extraits de viande. Sa fonction fut déterminée en 1950 et on l'a assimilée à la vitamine Bt (facteur de croissance du *Tenebrio molitor* ou ver de la farine).

En cas d'insuffisance de carnitine, les acides gras restent sous la forme de triglycérides dans le cytoplasme des cellules et provoquent des stéatoses (dégénérescence graisseuse des tissus).
Les tissus corporels les plus riches en carnitine sont les muscles du squelette et le muscle cardiaque qui utilisent de préférence les acides gras comme source d'énergie de leur métabolisme.
En cas d'insuffisance de carnitine, on peut observer des troubles métaboliques et fonctionnels du cœur et des muscles.

CAROTENE

Voir **Vitamine A.**

CAROTTE

Légume de la famille des ombellifères, très répandu et consommé. Très riche en vitamine A, sous forme de provitamine (bêtacarotène) qui se trouve surtout dans la peau du légume. Nous vous conseillons donc de ne pas l'éplucher mais de le gratter sous l'eau froide. La partie comestible est la racine qui contient également du calcium, du magnésium, du phosphore, des vitamines du groupe B et les vitamines E, K et C.

CEREALES

Ensemble de plantes herbacées, appartenant presque toutes (sauf le sarrasin) à la famille des graminacées (monocotylédones).
Les céréales les plus connues sont le blé ou froment (genre *triticum*); le maïs (*Zea mays*); l'avoine (*Avena sativa*); le riz *(Oryza sativa*); l'orge *(Horde vulgare*); le seigle (*Secale cereale*) et le mil (*Panicum miliaceum*).

Le sarrasin est considéré comme une céréale, bien qu'il appartienne à la famille des polygonacées.
Les graines des céréales sont riches en amidon et contiennent une grande quantité de minéraux et de vitamines. Le germe et l'enveloppe externe sont les parties de la plante renfermant le plus d'éléments nutritifs.
Pour obtenir de la farine blanche, on enlève les enveloppes externes du grain, ce qui, bien entendu élimine une grande partie des minéraux et des vitamines; on appelle *son* les déchets de la mouture.
L'utilisation inconsidérée des pesticides a rendu dangereuse la consommation du son car l'enveloppe externe risque d'être contaminée. Il faut donc sévèrement contrôler la provenance du blé.
Les céréales ont eu, de tout temps, une grande importance dans l'alimentation de l'homme. Dans l'Antiquité, elles étaient même considérées comme des plantes sacrées au travers desquelles s'exprimaient la force vitale de la terre et du soleil.

CHLORE

Voir **Composants minéraux de l'organisme.**

CHOLECALCIFEROL

Voir **Vitamine D.**

CHOLINE

Dite *vitamine B_7.* C'est une pseudovitamine, hydrosoluble et lipotrope (qui facilite le métabolisme des graisses).
Etant une composante de la lécithine qui est un phospholipide, elle véhicule les graisses. En outre, elle est le précurseur de l'*acétylcholine*, un important médiateur libéré par les nerfs

parasympathiques pendant leur fonctionnement. Enfin, la choline fournit au métabolisme des groupes méthyliques indispensables à la constitution de substances telles que la méthionine (acide aminé soufré indispensable à la croissance et à l'équilibre de l'organisme).

CHOU

Légume très courant de la famille des crucifères. Il en existe de nombreuses variétés. Il contient du potassium, du magnésium, du calcium, du phosphore et du soufre. Le brocoli et le chou de Bruxelles sont riches en vitamine C. On trouve également dans ce végétal des vitamines du groupe B, les vitamines E et K ainsi que la provitamine A (dans le brocoli).

CHOU-FLEUR

Légume originaire d'Orient; appartient à la famille des crucifères. Il contient de la vitamine H, C, K et E, ainsi que des vitamines du groupe B. En outre, il est riche en potassium et l'on relève la présence de quantités assez importantes de calcium, de phosphore et de soufre.

CITRONNIER

Arbrisseau de la famille des rutacées (*Citrus medica*, variété *limon*); originaire de l'Inde. Son fruit contient de l'acide citrique, de nombreuses substances essentielles, des vitamines du groupe B, de la bêtacarotène (surtout dans la peau) et de la vitamine C.

COBALAMINE

Voir **Vitamine B_{12}.**

COBALT
Voir **Composants minéraux de l'organisme.**

COCARBOXYLASE
Voir **Vitamine B_1.**

COENZYME Q
Voir **Ubiquinone.**

COENZYMES
Voir **Enzymes.**

COMPARAISONS ENTRE VITAMINES, ENZYMES, HORMONES ET OLIGO-ELEMENTS

• *Enzymes.* Substances solubles provoquant ou accélérant les réactions biochimiques. Elles ne sont toutefois ni altérées ni consumées. Elles diffèrent des catalyseurs de nature inorganique uniquement parce qu'elles sont produites par des cellules vivantes.

• *Hormones.* Substances produites par une glande ou par synthèse et qui agissent sur des organes ou des tissus situés à distance, après transport par le sang. Elles sont indispensables au bon fonctionnement du métabolisme.

• *Vitamines.* Substances organiques indispensables en infime quantité à la croissance et au bon fonctionnement de l'organisme qui ne peut en assurer lui-même la synthèse. On les trouve essentiellement dans les végétaux.

• *Oligo-éléments.* Substances minérales nécessaires en très petite quantité au bon fonctionnement des organismes vivants. Ils sont introduits par les aliments et sont éliminés par les urines et la sueur. Ils favorisent la catalyse enzymatique. D'une manière générale, les oligo-éléments sont liés au monde minéral, les vitamines au monde végétal, les hormones au règne animal. Le cas des enzymes est particulier, en effet les enzymes du corps humain sont hautement spécifiques et individualisées.

COMPOSANTS MINERAUX DE L'ORGANISME

Les sels minéraux, tout comme l'eau et les vitamines, ne fournissent pas de calories. Nous vous donnons ici la liste des composants inorganiques les plus importants de l'organisme.

• *Sodium et potassium.* Ils sont inégalement répartis dans l'organisme. Le sodium est abondant dans les espaces extracellulaires et interstitiels. Le potassium prédomine à l'intérieur des cellules. Leur distribution dans le tissu nerveux et musculaire est à la base du fonctionnement et de l'excitabilité des nerfs et des muscles. En entrant et en sortant des cellules du tissu nerveux, au travers de la membrane, ils créent une sorte d'oscillation généralisée qui est à l'origine de l'activité électrochimique du tissu cérébral.

• *Calcium.* Son absorption et son utilisation sont favorisées par la vitamine D. Le squelette est essentiellement composé de ce minéral qui s'y trouve sous la forme d'apatite (phosphate de calcium).
Outre la vitamine D, le métabolisme du calcium est régulé par la calcitonine (hormone de la thyroïde) et la parathormone (hormone des glandes parathyroïdes).
Le calcium contenu dans le sang est en partie inclus dans des molécules protéiques; une autre partie est libre, c'est-à-dire qu'il n'est lié à aucune substance, au niveau moléculaire. Il

doit maintenir une excitabilité neuromusculaire normale. Son rôle est déterminant dans le processus de coagulation sanguine. Une insuffisance de calcium provoque des crises de tétanie (contractions musculaires spasmodiques) et des convulsions.

• *Phosphore.* Etymologiquement, ce mot signifie ''porteur de lumière''. C'est un composant important du squelette, mais il est également présent dans certaines substances telles que l'ATP et l'ADP qui jouent un rôle essentiel dans le métabolisme du sucre. Son élimination est contrôlée par la parathormone.

• *Fer.* C'est un élément indispensable à la vie. On en trouve lié à l'hémoglobine dans les globules rouges du sang, il joue un rôle essentiel pour le transport de l'oxygène. Il participe également activement au processus de "respiration cellulaire". L'absportion intestinale du fer est favorisée par la vitamine C ou acide ascorbique.
Les aliments les plus riches en fer sont le foie, le cœur, les rognons, la viande maigre, le jaune d'œuf, les légumineuses, les légumes verts dont on consomme les feuilles (salades, épinards...), et les céréeales complètes. Chez les végétaux, le fer est contenu dans le pigment foliaire vert et dans les graines. Le lait est très pauvre en fer. Pendant les premiers mois de la vie, les nourrissons peuvent satisfaire leurs besoins grâce à leurs réserves hépatiques, mais il est fortement conseillé d'ajouter très tôt des jus de légume ou des crèmes de céréales à leur alimentation.

• *Zinc.* La plupart des cellules en contiennent. Certains organes en possèdent de grandes quantités (les yeux par exemple). Il se lie très facilement à des protéines, par exemple à l'insuline (hormone du pancréas). Il est indispensable à l'activité de certaines enzymes, parmi lesquelles nous citerons les pepsidiases qui participent à la digestion des protéines ou l'anhydride carbonique qui intervient pour réguler l'acidité et la basicité du sang.

• *Iode.* Entre dans la composition de la thyroïde qui régule la combustion de l'oxygène et le métabolisme énergétique.

• *Magnésium.* Il entre pour une part importante dans la composition des cellules, pour lesquelles il constitue le cation (ion de charge positive) le plus important après le potassium. Il est indispensable à l'action de certaines enzymes.
Rappelons que le magnésium est un composant de la chlorophylle, le pigment vert des végétaux qui ne se forme qu'à la lumière.

• *Chlore.* Il se trouve essentiellement dans l'espace extracellulaire. Dans l'estomac, il est utilisé pour la formation d'acide chlorhydrique.

• *Fluor.* Confère une bonne résistance aux caries; toutefois, un apport excessif peut provoquer l'apparition de taches sur l'émail des dents (fluorose dentaire).
Les autres éléments minéraux indispensables sont le *manganèse* et le *molybdène* qui sont des activeurs de la fonction enzymatique, le *cobalt* qui entre dans la composition de la molécule de cobalamine ou vitamine B_{12}, et le *cuivre* à qui l'on attribue un rôle dans la formation du sang et qui agit comme activeur enzymatique.
Ces éléments minéraux présents en très petites quantités dans l'organisme, mais indispensables à son fonctionnement, son les *oligo-éléments.*

CONSERVATION ALIMENTAIRE

Voir **Techniques alimentaires et vitamines.**

COURGE
Plante de la famille des cucurbitacées. Contient de la provitamine A (bêtacarotène), des vitamines du groupe B et de la vitamine C en faible quantité, ainsi que de nombreux sels minéraux (en particulier du potassium).

CUIVRE
Voir **Composants minéraux.**

CYANOCOBALAMINE
Voir **Vitamine B_{12}.**

CYNORHODON
Fruit de l'églantier, riche en vitamine C (500—1000 mg/100g). Comestible en confiture, se vend également en plaquettes.

D-E

DESACCORDS DANS LA CLASSIFICATION

Pendant longtemps, on a regroupé indistinctement toutes les vitamines du groupe B. De même l'on a confondu les vitamines B_6 et PP car elles avaient toutes deux une action antipellagreuse.
D'autres vitamines sont répertoriées différemment selon les pays. Ainsi, la vitamine PP et l'acide pantothénique sont respectivement baptisés vitamine B_3 et vitamine B_5 en France et en Grande-Bretagne, alors que l'on a adopté la dénomination inverse en Allemagne et aux Etats-unis.

DOSAGE DES VITAMINES

Les quantités de vitamines dans les liquides biologiques (sang, liquide céphalo-rachidien, etc.) et les aliments peuvent être précisément mesurées grâce à des méthodes chimiques (spectrophotométrie, polarographie, chromatographie...), biologiques (études des effets curatifs et préventifs sur des animaux de laboratoire), enzymatiques, radioactifs et microbiologiques.

ENZYMES

Ce nom désigne de nombreuses substances protéiques hautement spécifiques, produites par les cellules vivantes. Elles agissent comme catalyseurs biologiques, favorisant et accélérant les réactions biochimiques qui sont à la base des transformations de la matière vivante.

La plupart des enzymes sont des protéines associées à des substances chimiques de nature différente (non protéique), que l'on appelle *coenzymes*. Ces dernières sont indispensables au fonctionnement de l'enzyme et de nombreuses vitamines en font partie intégrante.

Chacune des enzymes ne peut catalyser qu'un nombre limité de réactions chimiques (parfois même une seule). L'enzyme reconnaît la substance sur laquelle elle doit agir grâce à la présence d'un certain groupe chimique déterminé.

Le cas de réaction enzymatique le plus simple est la fermentation qui permet par exemple la production de vin ou de fromages.

Les premiers chercheurs qui étudièrent expérimentalement la fermentation, comme Louis Pasteur par exemple, pensaient que celle-ci était provoquée directement par des micro-organismes. On découvrit par la suite qu'elle était due à la présence de substances chimiques produites par ces micro-organismes. On avait découvert les "enzymes" (du grec *en*: dans, et *zumé*: levain).

L'activité générale et spécifique de chaque cellule est régulée par des complexes enzymatiques. Dans le *protoplasme* (matière vivante cellulaire), le stockage et la libération d'énergie, les processus de synthèse et de destruction dépendent d'eux.

Selon la biologie moderne, chaque gène code sa propre enzyme. La différentiation des espèces est donc liée aux processus enzymatiques.

EPINARD

Légume de la famille des chenopodiacées originaire d'Asie

centro-méridionale. Il fut introduit en Europe aux alentours de l'an mille. Il contient de nombreux sels minéraux: potassium, calcium, magnésium, fer, phosphore et soufre, ainsi que des vitamines du groupe B (en particulier de l'acide folique ou Bc), et les vitamines A, E, K et C.

ERGOCALCIFEROL

Voir **Vitamine D.**

F

FER
Voir **Composants minéraux de l'organisme.**

FLUOR
Voir **Composants minéraux de l'organisme.**

FLUORESCENCE
Propriété de certaines substances chimiques d'absorber la lumière puis de l'émettre avec une longueur d'onde supérieure.

FOIE ET SYSTEME BILIAIRE
Le foie est l'organe le plus volumineux du corps humain. Il est situé immédiatement sous le diaphragme et occupe la moitié supérieure droite de l'abdomen.
Les cellules hépatiques sécrètent la bile, qui s'accumule dans un réservoir appelé vésicule biliaire dont part un canal (le *cholédoque*) qui la conduit au duodénum.
Entre les repas, l'orifice duodénal du cholédoque est fermé et la bile s'accumule dans la vésicule biliaire. Lorsque l'aliment est introduit dans la bouche, le sphincter entourant l'orifice du cholédoque se relâche; quand le contenu gastrique entre dans le duodénum, une hormone sécrétée par la muqueuse duodénale, la CCK (cholécystolaine), provoque la contraction de la vésicule.

La bile est un liquide visqueux peu alcalin. Certains de ces composants sont réabsorbés par l'intestin et à nouveau excrétés par le foie (cycle entéro-hépatique). Grâce à ce mécanisme, certaines substances comme la vitamine B_{12} sont "économisées" par l'organisme. Ce qui explique par exemple que les végétariens peuvent se contenter d'une dose minime de cette vitamine.
Les *acides biliaires* (acide cholique, désoxycholique, chénodésoxycholique et lithocholique) sont les composants fondamentaux du liquide biliaire. Ils se combinent aux lipides et forment des *micelles* (particules sphériques) qui en favorisent l'absportion. Ils réduisent la tension superficielle et, associés aux acides gras et aux glycérides, ils émulsionnent la graisse et la prépare pour la digestion et l'absportion dans l'intestin grêle. Les troubles de la sécrétion biliaire peuvent altérer l'absportion de certaines substances, en particulier les vitamines liposolubles.
Les *pigments biliaires,* qui confèrent à la bile sa couleur jaune sont également des éléments importants. Nous citerons parmi ceux-ci la *bilirubine* qui est le produit de la désagrégation de l'hémoglobine des globules rouges, détruits dans le système rético-endothélial, à la fin de leur cycle vital qui dure 120 jours.
Le dosage de la bilirubine associé à celui des transaminases (enzymes présentes à l'intérieur des cellules hépatiques) et à celui des protéines (en particulier de l'albumine), est un test de fonctionnement hépatique essentiel.
Outre la formation de la bile et ses actions dans les divers métabolismes, le foie intervient pour neutraliser certains toxiques, pour maintenir et régulariser la teneur du sang en glucose, et dans les différents mécanismes qui s'opposent aux hémorragies. En d'autres termes, le foie est un laboratoire dans lequel les substances sont continuellement stockées, transformées et synthétisées. Les vitamines prennent part à

toutes ces opérations chimiques, en particulier celles qui agissent sur le métabolisme des graisses, des sucres et des acides aminés.

FOLIQUE (acide)
Voir **Vitamine Bc.**

FROMENT
Plante herbacée de la famille des graminacées. Elle serait cultivée depuis environ 15 000 ans.
De nos jours, la dénomination usuelle de cette céréale est le blé. On en distingue essentiellement deux sortes: le *blé dur* et le *blé tendre* qui contient moins de protéines que le premier.
Le froment contient des vitamines du groupe B (en particulier de la vitamine B_1, B_2 et PP). Le germe, lui, contient beaucoup de vitamine E. Cette céréale est en outre riche en sels minéraux (potassium, calcium, magnésium, fer, phosphore et soufre).
Le froment subit un raffinage qui consiste à enlever les téguments extérieurs des grains (le son). Cette opération de "mouture" supprime également le germe. Ainsi, la teneur en vitamines et en sels minéraux est considérablement réduite.
Dans le tableau suivant nous vous indiquons la correspondance entre le type de farine et le pourcentage de blutage (voir ce terme).

Blutage en pourcentage	*Type de farine*
50	00
72	0
80	1
85	2

Le tableau suivant indique la composition en vitamines de la farine en fonction du degré de blutage.

mg/100 g	*Blutage en pourcentage*				
	50	72	80	85	Intégrale
Vitamine B_1	0,08	0,11	0,25	0,3	0,40
Vitamine B_2	0,03	0,04	0,05	0,07	0,12
Vitamine B_6	0,10	0,20	0,25	0,30	0,50
Vitamine PP	0,70	0,72	1-2	2-3	5-6

FUNK KAZIMIERZ

Chimiste polonais ayant travaillé aux Etats-Unis. C'est lui qui, le premier, introduisit le terme "vitamine" dans le langage médical, en 1911.

GERME

Partie très nutritive du caryopse des céréales. Il contient des protéines de haute valeur biologique, des acides gras essentiels (vitamine F), la plupart des vitamines B, la vitamine K, la vitamine E, et des minéraux tels que le phosphore. Habituellement il est éliminé pendant le blutage.

GLYCOSIDES

Substances organiques provenant de la combinaison d'un sucre et d'une autre substance. Les glycosides sont très répandus dans la nature. On les trouve spécialement dans les végétaux où ils n'apparaissent parfois qu'à certains stades du développement.
Un grand nombre de ces substances joue un rôle thérapeutique important, ainsi, le glycoside de la digitale qui est administré en cas d'insuffisance cardiaque. Notons que dans ce cas particulier, l'aglycone est un stéroïde présentant de fortes similitudes avec la vitamine D, les acides biliaires et les hormones des glandes sexuelles et surrénales.

GRAISSES

Dites aussi lipides. Elles ont, dans l'organisme, une fonction

essentiellement calorique. En effet, elles sont capables de développer une énergie thermique importante.
D'un point de vue nutritionnel, nous nous intéresserons surtout aux graisses neutres ou triglycérides qui naissent de la combinaison d'une molécule de glycérine et de trois molécules d'acide gras.
Les acides gras entrant dans la composition des graisses neutres peuvent être saturés ou insaturés, selon qu'ils possèdent des liaisons multiples ou non.
Les graisses très riches en acide gras saturés ont un point de fusion relativement élevé. Elles sont donc solides à température ambiante. Les graisses constituées principalement d'acides gras insaturés sont semi-solides ou liquides à température ambiante et sont appelées "huiles".
Les principaux acides gras saturés sont l'acide palmitique et l'acide stéarique.
Les acides gras insaturés peuvent être mono ou polyinsaturés selon le nombre de liaisons doubles qu'ils possèdent. Le principal acide gras mono-insaturé est l'acide oléique.
Les acides gras polyinsaturés les plus importants sont les acides linoléique, linolénique et arachidonique, qui doivent être introduits dans l'organisme par l'alimentation. Ils forment un ensemble baptisé vitamine F.
Le métabolisme des graisses est actif dans chacune des cellules du corps. Il joue un rôle cardinal dans les cellules nerveuses, au niveau des poumons et du système sanguin, et dans le foie.
Les graisses constituent aussi des réserves pour l'organisme.
Les substances nutritives introduites dans l'organisme en quantité supérieure au besoin énergétique sont en grande partie transformées en graisse, et s'accumulent dans les tissus adipeux.
Certaines substances sont à rapprocher des graisses par leurs propriétés physiques et leur solubilité. On les a baptisées "lipoïdes". Sous ce nom, on regroupe les phospholipides ou

phosphatides, contenant du phosphore; les lécithines, contenant du phosphore et de la choline; les glycolipides, contenant des sucres; les stéroïdes (par exemple le cholestérol), les acides biliaires; la vitamine D ainsi que de nombreuses glandes du cortex surrénal et des glandes sexuelles. Les stéroïdes, dont l'exemple type est le cholestérol, dérivent d'une substance appelée cyclopentanoperhydrophénanthrène, un hydrocarbure alicyclique c'est à dire ne possédant ni liaison double, ni anneaux dits "aromatiques".

Les phospholipides et les glycolipides sont dits aussi graisses structurelles, car ils entrent dans la composition de presque toutes les structures biologiques et en particulier des membranes cellulaires. Ils sont particulièrement répandus dans le tissu nerveux où ils protègent les fibres et les gaines par des membranes hydrophobes et des strates électriquement isolantes (contrairement aux protéines qui sont, elles, conductrices d'électricité et hydrophiles).

Des carences en vitamines impliquées dans le métabolisme lipidique peuvent provoquer l'apparition de troubles neurologiques. Les lésions de la moelle épinière (myélose funiculaire), provoquées par une carence en vitamine B_{12}, semblent liées à une altération du métabolisme des graisses induisant un défaut dans la synthèse des lipoprotéines de la gaine de myéline des fibres nerveuses.

H

HEMATOPOÏESE
Ce terme désigne le processus de formation du sang. Chez l'homme adulte, les globules rouges, de nombreux leucocytes (globules blancs) et les plaquettes se forment dans la moelle osseuse, alors que chez le fœtus, le sang se forme dans le sang et dans la rate. Toutefois, au cours de certaines maladies de la moelle osseuse, on peut observer une hématopoïèse extra-médullaire chez l'adulte.
Chez l'enfant, tous les os peuvent produire du sang. Vers l'âge de vingt ans, la moelle des os longs devient inactive, seule reste active la région de l'éphiphyse, c'est-à-dire le tiers supérieur de l'humérus et du fémur.
La formation des globules rouges par les précurseurs érythroïdes, dans la moelle, est baptisée "érythropoïèse". Elle est stimulée en cas d'anémie et inhibée lorsque le nombre de globules rouges est supérieur à la normale. La maturation intramédullaire des globules rouges dure environ cinq jours; elle dépend de la présence de vitamines Bc et B_{12}.
La diminution de la pression atmosphérique (en haute montagne par exemple) et l'hypoxie (privation d'oxygène) stimulent l'érythropoïèse.
Chez l'homme, les globules rouges ont une durée de vie d'environ cent vingt jours. Ils sont ensuite détruits dans le système réticulo-endothélial qui comprend le tissu réticulaire du foie,

de la rate, des glandes lymphatiques, le tissu endothélial des capillaires, de la moelle osseuse, des glandes hypophyses et surrénales.

HEMERALOPIE
Voir **Carence en vitamine A et Vitamine A.**

HEMOLYSE
Destruction des globules rouges qui peut provoquer une anémie.

HIPPOGLOSSUS (ou flétan)
Poisson de la famille des pleuronectidés, du ''superordre'' des téléostéens (poissons osseux). Il peut mesurer jusqu'à trois mètres de long et peser jusqu'à deux cents kilos. Il vit dans les mers froides. Son foie est riche en vitamine D. En effet comme d'autres poissons (morue, limande...), il est capable de synthétiser cette vitamine bien qu'il ne soit pas exposé à la lumière solaire. Il stocke cette substance en très grande quantité dans son foie.

HOFMEISTER (Franz)
Chimiste tchèque (1850-1922). A plus particulièrement étudié les solutions colloïdales.

HORMONES
Substances sécrétées par des glandes endocrines, dans la majorité des cas.
Elles agissent sur des organes et des tissus, situés à distance,

après transport par le sang. Elles inhibent ou stimulent les cellules de certains organes "cibles". Leur action est très sélective et se conjugue à celle du système nerveux végétatif et des vitamines.
Les hormones agissent par interférence sur d'autres groupes cellulaires du corps et régularisent l'équilibre psychique et physique du sujet.
Le résultat de l'action des hormones au niveau des cellules cibles recouvre un très large éventail. On peut citer l'action sur les gènes chromosomiques, sur certaines enzymes, et la production d'autres hormones.
Au niveau physiologique, ces principes hormonaux interviennent dans divers métabolismes; ils ont une influence sur la croissance et l'activité sexuelle.
En fait, presque toutes les fonctions organiques sont régies par ces substances. Citons, outre les exemples précédents, la digestion, la régulation de l'équilibre énergétique, la pression sanguine, la production de lait maternel.
Une des premières hormones à avoir été isolée dans sa forme pure est l'adrénaline. Cette substance sécrétée par la portion médullaire des glandes surrénales, accélère le rythme cardiaque et augmente la pression artérielle.
Les glandes productrices d'hormones sont classées selon un ordre hiérarchique. Au sommet se trouve le système diencéphalo-hypophyse. Il est situé dans la zone centrale du cerveau et est constitué de la glande hypophyse et de l'hypothalamus. Ce système régule l'activité des glandes endocrines périphériques grâce à la production d'une substance appelée "tropine".
De nombreux cycles physiologiques sont régis par les hormones. Le cycle menstruel de la femme est contrôlé par l'hypophyse, par l'intermédiaire de gonadotropines.
Les stéroïdes constituent un groupe important d'hormones; ils possèdent tous un noyau commun avec le cholestérol, classé

parmi les stérols: le méthylcyclopentènophénanthrène. On peut citer, parmi ces substances, les œstrogènes, la cortisone et la progestérone. Par ailleurs, il existe aussi des hormones polypeptidiques (semblables aux protéines mais avec des chaînes d'acides aminés plus courtes), telles que l'insuline, le glucagon, la parathormone, etc., ainsi que des dérivées d'acides aminés comme la thyroxine et l'adrénaline.

HYPERVITAMINOSE A

Certains cas d'hypervitaminose A ont été répertoriés chez les Esquimaux ainsi que chez certains explorateurs du cercle polaire qui avaient consommé de grosses quantités de foie d'ours et de phoque, très riches en rétinole.
De nos jours, la vitamine A est utilisée à doses élevées surtout aux Etats-Unis, pour faciliter l'apprentissage scolaire des enfants en difficulté et dans un but de prévention du cancer.
On a constaté des cas d'intoxication aiguë chez l'adulte, se manifestant par des maux de tête, des somnolences, des vomissements et des œdèmes de la papille optique (symptôme évident d'une augmentation de la pression endocrinienne).
L'hypervitaminose chronique se caractérise par un dessèchement de la peau qui devient rugueuse et se desquame, par une chute des cheveux, l'apparition de prurit et de gerçures...
Un abus de vitamine A pendant la grossesse peut provoquer une malformation du fœtus.

HYPERVITAMINOSE B_6

L'administration de vitamine B_6 à dose élevée sur une longue durée peut provoquer des lésions du système nerveux périphérique qui se manifestent par des troubles de la sensibilité des extrémités des membres.

HYPERVITAMINOSE C

La vitamine C est employée à très haute dose, surtout aux Etats-Unis.

Un abus risque de provoquer des diarrhées ainsi qu'une certaine prédisposition à la formation de calculs urinaires.

HYPERVITAMINOSE D

La vitamine D est la plus toxique. Une dose quotidienne de 60 000 U.I. (1,25 mg) peut provoquer une série de troubles graves: augmentation du taux de calcium dans le sang, faiblesse musculaire, maux de tête, perte d'appétit, nausées, vomissements, augmentation de la pression artérielle, troubles du rythme cardiaque.

HYPERVITAMINOSE E

On a décrit quelques cas d'intoxication par abus de vitamine E. On a observé les symptômes suivants: faiblesse musculaire, fatigue intense, maux de tête et, en cas d'absorption de doses plus élevées, diarrhées et crampes intestinales.

HYPERVITAMINOSE K

Un abus de vitamine K chez une femme enceinte peut provoquer un ictère chez le nouveau-né.

HYPERVITAMINOSE PP

La vitamine PP induit dans l'organisme une libération d'histamine. L'augmentation du taux de substance dans le sang provoque un rougissement du visage, des prurits et des troubles gastro-intestinaux.

HYPOVITAMINOSE ET AVITAMINOSE

Si, dans un régime, une vitamine vient à manquer, on voit apparaître des symptômes précis de maladies qui peuvent être soignées par l'administration de la vitamine manquante. De telles maladies sont baptisées avitaminoses.

Si l'apport en vitamines n'est qu'insuffisant, c'est-à-dire inférieur au minimum indispensable, on dit qu'il y a hypovitaminose.

Cette dernière provoque des troubles mal définis, de nature générale et est donc difficile à diagnostiquer.

Les hypovitaminoses peuvent être causées par les trois facteurs suivants.

- *L'alimentation.* Elle n'offre pas la vitamine en question en quantité suffisante.
- *Le contenu vitaminique* de la nourriture est suffisant, mais l'absorption intestinale est perturbée.
- *Le contenu vitaminique* est suffisant, l'absorption intestinale est normale, mais les besoins de l'organisme se sont accrus.

De nos jours, dans les pays industrialisés du moins, les avitaminoses sont rares et l'on observe surtout des cas d'hypovitaminose. Aux trois facteurs cités ci-dessus, on ajoutera l'action antivitaminique de certaines substances (médicaments en particulier) et l'appauvrissement subi par les aliments traités selon les technologies alimentaires nouvelles.

En outre, il serait indispensable que soit diffusée une information sérieuse sur les principes diététiques de base, on éviterait ainsi certains déséquilibres graves.

I

INOSITOLE

Il ne s'agit pas d'une vraie vitamine, bien qu'elle soit parfois encore classée comme telle, mais d'une pseudovitamine. Cette substance hydrosoluble était autrefois considérée comme une vitamine du groupe B.

Elle est synthétisée par l'organisme et on la trouve dans les tissus animaux dans des proportions relativement élevées. C'est un isomère du glucose. Sa fonction physiologique précise n'est pas bien connue. Toutefois, l'on sait qu'elle est un des composants de certains phospholipides appelés phosphatidylïnositol.

L'on a observé des symptômes carentiels que chez des animaux de laboratoire. Les plus caractéristiques sont un retard de la croissance, des troubles de la lactation et l'alopécie.

INSULINE

Substance de type protéique, constituée de cinquante et un acides aminés; elle est sécrétée par la partie endocrine du pancréas. Elle provoque une diminution de la concentration du sucre (glucose) dans le sang. C'est une hormone qui agit essentiellement à la périphérie de l'organisme, en favorisant la pénétration du sucre dans les cellules des tissus ainsi que son

utilisation. Dans le tissu musculaire, elle stimule la combustion (oxydation) du glucose et sa transformation en glycogène. On considère que le diabète "sucré" est imputable à une carence relative en insuline, qui détermine une plus forte concentration du glucose dans le sang et son apparition dans les urines (glycosurie). Etant donné l'importance du métabolisme des sucres pour presque toutes les cellules de l'organisme, le diabète est une maladie qui présente des symptômes très divers, impliquant différentes parties du corps.
En d'autres termes, on peut dire que le diabète correspond à une dégradation de la faculté d'utiliser correctement les sucres; la sécrétion insuffisante d'insuline doit être considérée plus comme un effet que comme une cause de la maladie.

INTERACTION VITAMINIQUE

Certaines vitamines peuvent renforcer ou, au contraire, entraver l'action biochimique d'autres vitamines.
Des études expérimentales ont prouvé qu'en augmentant les doses de provitamine A (carotène) administrées à des agneaux, on pouvait provoquer le rachitisme chez ces animaux, bien que l'apport en vitamine D reste normal. Mais on a aussi observé qu'une carence en vitamine C est souvent accompagnée de signes cliniques de carence en vitamine Bc. En effet, la vitamine C est indispensable à la transformation de l'acide folique en acide folinique (forme biologiquement active de la vitamine Bc). En outre, la vitamine C exerce une action antioxydante et protectrice à l'égard d'autres substances telles que la vitamine A et la vitamine E.
Si l'on examine la composition vitaminique de la plupart des aliments de base, des céréales en particulier, on constate que, très souvent, les vitamines sont regroupées d'une manière "rationnelle". La nature, semble-t-il, ne les a pas distribuées au hasard. Plutôt donc que de nous astreindre à de savants calculs

pour déterminer si notre régime est assez riche en telle ou telle vitamine, fions-nous à la nature et préoccupons-nous de manger des aliments sains et intacts. Nous n'aurons plus alors à absorber des vitamines sous forme de pilules ou de gélules...

IODE

Voir **Composants minéraux de l'organisme.**

ISOMERE

Substances généralement organiques, possédant une même composition chimique mais se différenciant par leurs propriétés chimiques.
Ces différences peuvent être dues à de nombreux facteurs. Ainsi, deux composés, bien qu'étant formés des mêmes atomes, en nombre égal, peuvent avoir une structure différente (la répartition des atomes dans l'espace n'est pas identique).

L

LAIT ET VITAMINES

Le lait est le premier aliment avec lequel le nouveau-né entre en contact. Il faut toutefois établir une distinction entre le lait maternel et le lait de vache.
Le tableau suivant vous indiquera les principales différences.

	Lait maternel (pour 100 g)	*Lait de vache (pour 100 g)*
Eau	87,7 g	88,5 g
Protéines	1,03 g	3,2 g
Graisses	4,4 g	3,7 g
Sucres	6,5 g	4,6 g
Calories	70 kcal	64 kcal
Vit. A	330 U.I.	140 U.I.
Vit. B_1	0,01 mg	0,04 mg
Vit. B_2	0,04 mg	0,15 mg
Vit. B_6	0,02 mg	0,05 mg
Vit. PP	0,18 mg	0,07 mg
Vit. B_5	0,24 mg	0,33 mg
Vit. C	5 mg	1 mg
Vit. H	0,001 mg	0,002 mg
Vit. E	0,23 mg	0,06 mg
Vit. D	0,4-9,7 U.I.	0,5-4 U.I.

	Lait maternel (pour 100 g)	*Lait de vache (pour 100 g)*
Vit. Bc	0,0001 mg	0,0001 mg
Vit. B_{12}	traces	0,0006 mg
Sodium	17 mg	75 mg
Potassium	50 mg	139 mg
Calcium	33 mg	133 mg
Magnésium	3 mg	13 mg
Manganèse	traces	0,02 mg
Fer	0,05 mg	0,04 mg
Cuivre	0,05 mg	0,01 mg
Phosphore	14 mg	88 mg
Soufre	14 mg	29 mg
Chlore	36 mg	105 mg

En ce qui concerne le lait de vache, n'oubliez pas que les traitements auxquels il est soumis pour éviter les altérations d'origine bactérienne diminue sa teneur vitaminique.

Le procédé de stérilisation où le lait est porté à très haute température pendant un bref instant provoque une déperdition vitaminique moindre par rapport aux méthodes de pasteurisation traditionnelle. Pourtant, on constate tout de même une importante diminution de la teneur en vitamines C, B_1 et B_{12}.

Les méthodes d'évaporation utilisées pour obtenir le lait en poudre provoquent une diminution de la teneur en vitamine (B_1 en particulier).

L'écrémage du lait fait disparaître les vitamines liposolubles (A, D, E, K). L'exposition à la lumière du soleil détruit dans des proportions plus ou moins importantes les vitamines A, B_6, C et surtout B_{12}, selon les conditions atmosphériques.

Les emballages de carton revêtu de polyéthylène protègent le lait des rayonnements lumineux nocifs.

LEGUMES

On classe les légumes en différentes catégories en fonction de la ou des parties pour lesquelles on les cultive.

• *Racines.* Rave, navet, céleri-rave, carotte, betterave, salsifis noir.

• *Tubercules.* Pomme de terre, topinambour...

• *Bulbes.* Ail, oignon, poireau...

• *Feuilles et tiges.* Chou, blette à côtes, fenouil, asperge, laitue, épinard, laitue, cresson ...

• *Fleurs, fruits et graines.* Artichaut, pois, fève, courge, courgette, poivron, concombre, tomate, graines de fenouil...

En outre, on considère comme légumes les différentes herbes aromatiques utilisées en cuisine telles que le romarin, le basilic, la marjolaine, l'origan...
Les vitamines hydrosolubles se trouvent dans l'eau de cuisson des légumes que l'on jette trop souvent, gaspillant de précieuses substances. Les tisanes contiennent donc, outre les principes essentiels de la plante, de nombreuses vitamines. On ne saurait trop vous conseiller d'en consommer...

LEGUMINEUSE

Plante dicotylédone dont le fruit est une "gousse". Citons par exemple les pois, les haricots et les lentilles. La gousse ou cosse contient les graines comestibles.
Sur les racines des légumineuses se développent des bactéries du genre "rhizobium" qui entretiennent un rapport "symbiotique" avec ces plantes. Ces êtres unicellulaires ont la propriété de fixer l'azote inerte de l'air et de le rendre organique. En un premier temps, les bactéries se comportent en

véritables parasites et exploitent les substances élaborées par la plante. En un second temps, au moment de la floraison, la plante digère le corps des bactéries et utilise l'azote organique accumulé par celles-ci.
Certaines de ces bactéries se développent dans les nodules des légumineuses. Elles synthétisent de la vitamine B_{12} que l'on retrouve ensuite dans le légume comestible.
Examinons maintenant les propriétés nutritives des légumineuses les plus importantes pour l'alimentation humaine.

• *Pois (Pisum sativum).* Plante herbacée annuelle; originaire d'Asie. Les pois sont très répandus et cultivés depuis fort longtemps. Ils contiennent certaines substances protéiques, du potassium, du calcium, du magnésium, du fer, beaucoup de phosphore et du soufre. Outre les vitamines E, K et C, on trouve dans les pois des vitamines du groupe B (particulièrement la vitamine B_1 et PP).

• *Haricot.* L'espèce la plus répandue est le *Phaseulus vulgaris.* Originaire des régions chaudes, le haricot craint le froid excessif et s'adapte bien aux conditions climatiques de l'Europe centrale et méridionale.
Les haricots contiennent de grandes quantités de protéines et de sucres et ont par conséquent une valeur calorique élevée. Ils sont riches en potassium, calcium, magnésium, phosphore, fer et manganèse (surtout les haricots blancs secs). Ils contiennent également des vitamines du groupe B (en particulier les vitamines B_1 et PP), ainsi que les vitamines E, K et C. On trouve dans les haricots verts une certaine quantité d'acide folique (vitamine Bc) et de vitamine H.

• *Fève (Vicia faba).* Riche en protéines, en sucre, en vitamines B_1, B_2 et PP. Elle contient en outre une quantité importante de fer, de phosphore et de calcium.

Notez que la consommation de fèves peut provoquer des crises hémolythiques (destruction des globules rouges du sang) chez certains sujets génétiquement prédisposés (déficience congénitale de l'enzyme glucose-6-phosphate déshydrogénase, impliquée dans le métabolisme des sucres).
De telles prédispositions héréditaires sont particulièrement répandues dans certaines populations méditerranéennes, en Grèce ou en Sardaigne par exemple.

• *Lentille (Lens culinaris).* Sa culture est très répandue dans tous les pays d'Europe, de l'Afrique du Nord et de l'Asie. Il semble qu'elle ait été cultivée, déjà, dans la préhistoire. Elle contient de grandes quantités de protéines, de sucres, de vitamines du groupe B (particulièrement les vitamines B_1, B, B_6 et PP). On y trouve en outre de nombreux sels minéraux et surtout du potassium, du calcium, du magnésium, du fer, du phosphore et du soufre.

• *Soja (Glycine hispida).* Originaire de l'Asie orientale, sa culture s'est aujourd'hui répandue en Occident.
Les graines de soja ont une teneur protéique et lipidique extrêmement élevées. En revanche, elles contiennent moins de sucre que les fruits des autres légumineuses.
Le soja est riche en vitamine B_1. Il recèle également d'autres vitamines B ainsi que de la vitamine A.
On trouve dans ses graines séchées des doses importantes de potassium, magnésium, fer et phosphore.

LEVURES

Ce terme désigne de nombreux micro-organismes d'origine végétale appartenant à la famille des champignons.
Ces micro-organismes tirent l'énergie nécessaire à l'exercice de leurs fonctions vitales, de la destruction partielle de substances organiques, rendue possible grâce à la présence

dans leurs cellules d'une série de catalyseurs enzymatiques (voir **Enzymes**).
La réaction de destruction mise en œuvre par les levures peut donner naissance à des substances utiles ou nocives.
On utilise ces propriétés des levures pour produire des boissons alcoolisées (vin, bière), de la glycérine, etc.
Les levures exploitées au niveau industriel appartiennent à la catégorie des Saccharomyces. Parmi celles-ci, la variété la plus communément employée est celle des Saccharomyces cerevisiae ou "levure de bière".
Cette dernière est utilisée pour la production de bière et pour la confection du pain; elle permet de soigner certaines affections intestinales.
Lorsqu'elle est fraîche, elle se présente sous la forme d'une pâte jaune, difficilement conservable. En revanche, la levure sèche peut se conserver plus d'un an, à condition toutefois qu'elle soit placée dans un lieu sombre et frais.
La levure de bière est une des meilleures sources de vitamine B. Elle contient également de la vitamine E et de la provitamine D ainsi que d'importantes quantités de phosphore, de calcium, de potassium, de magnésium, de cuivre et de fer.

LINOLEIQUE (acide)
Voir **Vitamine F.**

LIPOÏQUE (acide)
Il s'agit d'un coenzyme transporteur d'hydrogènes et de groupes acyliques.
Ce n'est pas une véritable vitamine car elle peut être synthétisée par le foie. Cette substance est assez répandue, on la trouve dans de nombreux aliments. D'un point de vue physiologique, elle participe au métabolisme des sucres. Elle n'est, semble-t-il, indispensable qu'aux micro-organismes.

LUMIERE ET VITAMINE D

La vitamine D_3 ou cholécalciférol est présente dans l'organisme, dans des proportions plus importantes que les autres. Elle est habituellement synthétisée dans la peau, sous l'action de la lumière solaire, par la provitamine D_3 (7-déshydrocholestérol), en quantité suffisante pour l'adulte. On trouve cette vitamine dans certains champignons (*Boletus edilus, Psalliota campestris, Cantharellus cibarius)*. Toutefois la source essentielle de vitamine D est le foie des gros poissons.

M

MAGNESIUM
Voir **Composants minéraux de l'organisme.**

MAÏS
Le maïs *(Zea mays)* est une céréale de la famille des graminacées originaire des hauts plateaux du Pérou, de Bolivie et de l'Equateur, qui fut introduite en Europe par Christophe Colomb.
Il contient des vitamines du groupe B et de la vitamine E ainsi que certaines quantités de phosphore, de fer, et de potassium. Il n'est pas aussi riche en éléments nutritifs que les autres céréales, et une alimentation à base de maïs peut provoquer la pellagre. Il a des propriétés diurétiques et laxatives.

MAL DE BARLOW
Scorbut infantile.
Voir **Carence en vitamine C.**

MAL DE BIERMER
Anémie pernicieuse.
Voir **Carence en vitamine B_{12}.**

MANGANESE

Voir **Composants minéraux de l'organisme.**

MEDICAMENTS ET VITAMINES

Un certain nombre de substances pharmacologiques, communément utilisées en thérapie, peuvent interférer avec les activités vitaminiques et provoquer des états carentiels surtout si le traitement se prolonge.
Certains médicaments peuvent être la cause d'une accélération du transit intestinal et engendrer des troubles de l'absorption vitaminique, même s'ils n'agissent pas chimiquement sur les vitamines elles-mêmes.
Certains antibiotiques détruisent la flore intestinale par l'intermédiaire de laquelle l'organisme reçoit une partie de la vitamine K et une partie de l'acide folique qui lui sont nécessaires.
Certains médicaments antinéoplastiques, utilisés dans le traitement de certaines tumeurs cancéreuses ont une action antifolique très utile pour bloquer la multiplication cellulaire des tumeurs malignes. Ils risquent, lorsqu'ils sont administrés à forte dose, de créer un syndrome carentiel en vitamine Bc (acide folique).
Les médicaments antirhumatismaux, tels que l'aspirine, peuvent provoquer des carences en vitamine C dans les globules blancs et les plaquettes, si le traitement se prolonge.
L'alcool, la nicotine du tabac, les œstrogènes contenus dans les pilules contraceptives, les corticoïdes et l'antirhumatismal indométhacine peuvent être à l'origine d'une diminution du taux d'acide ascorbique (vitamine C), dans les tissus.
L'isoniazide, utilisé dans le traitement contre la tuberculose peut provoquer une carence en vitamine B_6.
Il semblerait que la metformine, substance utilisée pour le traitement du diabète par voie orale, puisse occasionner une

carence en vitamine B_{12}, car elle provoquerait un trouble de l'absportion intestinale.
Les œstrogènes des pilules contraceptives, outre leur action sur le taux de vitamine C dans les leucocytes et les plaquettes sanguines, semblent causer une diminution du taux de vitamine B_{12}, B_6 et Bc (acide folique) qui pourrait être une cause essentielle de l'état dépressif observé chez de nombreuses femmes qui prennent la pilule.
D'autre part, les œstrogènes provoquent une hypervitaminose A (augmentation excessive du taux de vitamine A) qui ne semble toutefois pas avoir de conséquences tératogènes (malformation chez les nouveau-nés).
Certaines substances anticonvulsives utilisées dans le traitement de l'épilepsie réduisent le taux d'acide folique (vitamine Bc) dans le sang et seraient à l'origine, à travers un mécanisme complexe (induction enzymatique), d'une dégradation de la vitamine D.
N'oublions pas cependant que toutes ces données scientifiques peuvent subir plusieurs interprétations. Il est donc très difficile de tirer des conclusions sur ces interactions complexes mettant en jeu médicaments et vitamines. Conservons toujours à l'esprit une vision globale de l'organisme et de son équilibre délicat.
Répétons-le, le corps humain n'est pas un modèle abstrait mais représente un ensemble de forces dynamiques qui interagissent en permanence.

MEMBRANE BIOLOGIQUE

Ce terme désigne la couche externe d'une cellule ou d'un noyau cellulaire. Les membranes biologiques possèdent une structure biochimique complexe.
Elles contiennent de nombreuses enzymes qui en font des "surfaces catalytiques".

La matrice lipidique de la membrane n'a pas qu'une fonction structurelle. Elle peut aussi réguler les activités enzymatiques.
Une carence ou une consommation exagérée de phospholipides dans un régime alimentaire peut provoquer des altérations biochimiques très importantes qui peuvent causer l'apparition d'artériosclérose.
Les phospholipides des membranes sont, en outre, indispensables pour maintenir l'équilibre de la concentration ionique du milieu aqueux situé à l'extérieur et à l'intérieur des cellules (voir **Composants minéraux de l'organisme**). Cet équilibre est surtout nécessaire au bon fonctionnement du système nerveux.
Les acides gras polyinsaturés (vitamine F, prostaglandine) entrent dans la composition des phospholipides des membranes et participent donc à l'entretien de ces structures.

MIL

Le mil (*Panicum miliaceum*) appartient à la famille des graminacées. Cette céréale est cultivée depuis des millénaires. Elle est originaire des régions chaudes d'Asie et s'est répandue dans les régions tempérées d'Europe et d'Afrique. Tout comme l'orge et l'avoine, le mil doit absolument être décortiqué avant d'être consommé. Il reste malgré tout très nutritif. Il contient de l'acide silicique, du phosphore, du magnésium, du fer, du potassium, du fluor.
Udo Renzenbrink, dans son livre *Alimentation et Science spirituelle* écrit à propos de cette céréale: "Un régime à base de mil améliore la vue. Dans la pratique, on constate qu'il donne de bons résultats contre les maladies de la peau (...). La teneur en fluor de cette céréale laisse supposer qu'elle est très utile pour les dents. Elle renforce les ongles et les cheveux cassants (...). Elle permet de lutter contre différentes maladies

de civilisation telles que l'artériosclérose et le cancer". Le mil contient des protéines, des lipides et des acides aminés essentiels, ainsi que de la vitamine A.

MITOCHONDRIES

Corpuscules en forme de grains présents en grand nombre dans le cytoplasme des cellules visible au microscope optique. Les enzymes de la "chaîne respiratoire" (voir **Respiration cellulaire**) et celles qui sont responsables de la synthèse de l'ATP sont localisées pour une grande partie dans ces structures.

MOLYBDENE

Voir **Composants minéraux de l'organisme**.

N

NEUROMEDIATEURS

Terme désignant un certain nombre de substances impliquées dans l'activité du système nerveux. Certains neuromédiateurs appartiennent à la catégorie des amines (composés dérivant de l'ammoniac par substitution à l'hydrogène de un ou plusieurs radicaux alcoyles).

On les baptise "amines cérébraux".

Les amines sont étroitement liés aux acides aminés qui "fabriquent" les protéines, et jouent par conséquent un rôle dans le métabolisme protéique.

Les vitamines, en particulier celles du groupe B, ont également une action sur ce métabolisme. Ainsi, une carence en vitamine B_6 provoque une altération du métabolisme d'un acide aminé, l'acide glutamique, qui a pour conséquence une synthèse défectueuse de l'acide gamma-amino-butyrique, un modulateur de l'influx nerveux.

Cette déficience métabolique pourrait expliquer l'apparition de crises de convulsions après l'administration de médicaments à action antivitaminique B_6.

Les neuromédiateurs les plus importants sont la noradrénaline, la dopamine, la sérotonine, (5-Hydroxytriptamine), l'acétylcholine, l'acide gamma-amino-butyrique et l'histonine.

Des phénomènes électrochimiques très complexes sont à la

base de la transmission de l'influx nerveux. Les échanges entre sodium et potassium et la présence de calcium produisent des différences de potentiel qui sont responsables de la genèse de cet influx. Celui-ci, pour se propager le long des fibres nerveuses, a besoin de la médiation de certaines substances appelées précisément "neuromédiateurs".

NICOTINAMIDE, NICOTINIQUE (acide)
Voir **Vitamine PP**.

O

OIGNON

Plante herbacée de la famille des liliacées, appelée *Allium cepa* (du celte *all* signifiant chaud, brûlant); il est originaire des régions tempérées d'Asie occidentale et de Palestine. On en consomme habituellement le bulbe qui contient des sels minéraux (soufre, calcium et phosphore, plus une petite quantité de fluor) ainsi que des vitamines du groupe B et les vitamines C et E.

OLIGO-ELEMENTS

Voir **Composants minéraux de l'organisme** et **Comparaison entre vitamines, enzymes, hormones et oligo-éléments**.

ORGE

L'orge (*Hordeum vulgare*) appartient à la famille des graminacées. Cette céréale, connue depuis des millénaires, fut supplantée par le froment, à partir duquel on peut obtenir un pain plus raffiné. L'orge est cultivé dans toutes les régions boréales, plus particulièrement en montagne où on l'utilise comme fourrage vert. En URSS, en Espagne et en Allemagne, on l'utilise toujours pour fabriquer du pain. Le malt, utilisé pour fabriquer la bière, est en réalité de l'orge germé.

Comme le riz, l'avoine et le mil, cette céréale doit être décortiquée avant d'être consommée. Elle contient des vitamines du groupe B ainsi que certains sels minéraux (soufre, phosphore, fer, manganèse, calcium et potassium). Elle est très nutritive et possède des propriétés émollientes et laxatives.

OROTIQUE (acide)
Il s'agit du plus important des précurseurs des nucléotides pyrimidiques contenus dans les acides nucléiques (ADN et ARN), dépositaires du code génétique.
On le considérait autrefois comme une vitamine et il était répertorié comme la vitamine B_{13}. Il se forme dans l'organisme à partir de l'acide aspartique et d'une substance appelée "carbamylphosphate". Il est présent dans le lait.

OSTEOMALACIE
Voir **Carence en vitamine D**.

OVULE VEGETAL
Ce terme désigne le petit organe contenu dans l'ovaire, qui renferme la cellule femelle, et qui fournira la graine après la fécondation par le pollen.
Cet ovule a une structure identique à celle des œufs d'animaux. Il comprend une membrane protectrice, correspondant au son, et que l'on pourrait comparer a une coquille d'œuf, une réserve alimentaire, contenant de l'amidon semblable au jaune, et le germe que l'on retrouve aussi chez les ovipares.
Toutes ces composantes forment un tout, une entité organique qui est perturbée lorsque l'un des éléments est éliminé. La farine blanche raffinée perd une partie de sa valeur nutritive et l'équilibre entre ses composants est détruit.

P

PAMPLEMOUSSE
Fruit du *Citrus decuma*, de la famille des rutacées, originaire d'Asie. Il contient de la vitamine C, des vitamines du groupe B et du bêtacarotène en petite quantité.

PANCREAS
Glande de forme allongée, de couleur jaune rosé, située dans la partie postérieure de l'abdomen, derrière l'estomac et à l'avant des vertèbres lombaires supérieures. Il comprend une partie "exocrine" dont les sécrétions sont amenées jusqu'au duodénum par le canal Wirsung et une partie endocrine, les îlots de Langerhans (petits groupes de cellules), produisant l'insuline et le glucagon. Le suc pancréatique sécrété par la partie exocrine contient de nombreuses enzymes très importantes pour la digestion. En cas d'insuffisance de la fonction pancréatique exocrine, on constate une stéatorrée (passage des graisses alimentaires dans les fèces) provoquant une perte des vitamines liposolubles (A, D, E, K).

PANGAMIQUE (acide)
Dit *vitamine* B_{15}. Il s'agit d'une substance hydrosoluble dont les caractéristiques biologiques sont proches de celles de

la disopropylamine utilisée comme agent de conservation. L'acide pangamique est un composé de gluconate de sodium (ou de calcium), de glycine (acide aminé) et de dichloroacétate de disopropylamine. On ne lui a découvert aucune propriété curative ou préventive pour l'être l'humain. Il est assez peu répandu dans la nature. On en trouve essentiellement dans les noyaux d'abricot et dans les amandes. Le terme "pangamique" dérive d'une racine grecque signifiant "dans toutes les graines".

PANTOTHENIQUE (acide)
Voir **Vitamine B_5**.

PARA-AMINO-BENZOÏQUE (acide)
Dit *vitamine B_{10}*. Il s'agit d'une substance hydrosoluble qui a été assimilée abusivement aux vitamines du groupe B. Nous la classerons plutôt parmi les pseudovitamines.
L'acide para-amino-benzoïque (ou PABA d'après les initiales anglaises) fut synthétisé en 1863 mais on ne s'intéressa à cette substance que lorsqu'on découvrit que les sulfamides exerçaient leur activité antibactérienne en inhibant son action. Les chercheurs se sont alors penchés sur le PABA, et ont cherché à déterminer si cette substance indispensable à la croissance des bactéries pouvait jouer un rôle positif pour les mammifères en général et les humains en particulier.
Certains micro-organismes ont besoin du PABA pour produire de l'acide folique. Toutefois, il semblerait que l'organisme des mammifères soit incapable de transformer l'acide para-amino-benzoïque en acide folique. On en a donc tiré la conclusion que cette substance ne présentait pas un grand intérêt pour l'homme.

Notez pourtant qu'elle est présente dans un grand nombre de crèmes de protection solaire car elle absorbe les rayons lumineux.

PARATHORMONES
Hormone des glandes parathyrodes, de nature polypeptidique qui contrôle le taux de calcium et de phosphore dans les tissus et dans le sang.

PELLAGRE
Voir **Carence en vitamine PP**.

PHOSPHOLIPIDES
Dits aussi *lipides de structure*; en effet ils sont présents dans de nombreuses structures vitales, et en particulier dans les membranes. Ils contiennent du phosphore. Voir **Graisses**.

PHOSPHORE
Voir **Composants minéraux de l'organisme**.

PHOTOSENSIBILITE
Sensibilité à la lumière de certaines substances colorées (pigments).
La plupart des vitamines sont des substances colorées (en jaune, orange, ou rouge), dotées de photosensibilité. Elles s'altèrent presque toutes à la lumière, ce sont des substances "photoactives".
Le bêtacarotène (provitamine A) appartient à la famille des caroténoïdes (produits participant à la photosynthèse). La

vitamine A à proprement parler est indispensable à la fabrication de la rhodopsine ou pourpre rétinien (pigment des bâtonnets de la rétine intervenant dans la vision crépusculaire). Ce qui explique que l'un des premiers symptômes d'une carence en vitamine A soit l'héméralopie, caractérisée par une diminution de l'adaptation à la lumière crépusculaire.

Presque toutes les vitamines étant contenues dans les plantes, on peut considérer qu'elles font partie du règne végétal. Il est donc tout à fait normal qu'elles soient chimiquement liées à la dynamique de la lumière. Notons que dans la nature, la lumière, les sucres et les substances photosensibles sont étroitement associés.

Ainsi, la vitamine B_1 qui n'a pas besoin de lumière pour agir est tout de même une substance photosensible car elle est rapidement dégradée par la lumière. Elle est par ailleurs indispensable au métabolisme du sucre dans l'organisme.

Vous remarquerez que les trois éléments précédemment cités sont, dans ce cas, incontestablement interdépendants. Cette démonstration vaut également pour d'autres vitamines. A propos du rapport entre lumière et vitamines, Rudolf Hauschka écrit dans son livre *Substanzlehne* (Nature de la substance): "La feuille verte est une lumière latente. La maladie causée par une carence en aliments végétaux verts est le scorbut. L'impression que tout esprit ouvert perçoit, en observant des personnes atteintes de ce mal, c'est qu'elles sont affamées de lumière".

PHOTOSYNTHESE

Phénomène lié à la photosensibilité (voir ci-avant).

La photosynthèse est la synthèse d'un corps chimique, de substances organiques (glucides), à l'aide de l'énergie lumineuse, par des végétaux chlorophylliens. C'est par la photosynthèse que l'énergie d'origine solaire est introduite dans les grands cycles biochimiques du globe. L'énergie nécessaire à ce processus est captée par le pigment vert des feuilles, la chlorophylle (substance photosensible). Sans entrer dans les détails, on peut dire que les plantes, grâce à la lumière, transforment, l'anhydride carbonique et l'eau en sucre. On parlera, à propos de la photosynthèse, de la "sensibilité constructive des végétaux".

POIRE

Fruit du *Pirus communis*, de la famille des rosacées, originaire d'Asie Mineure.
Il contient des vitamines du groupe B, de la vitamine C et A en petite quantité.

POIREAU

Le poireau (*Allium porrum*) appartient à la famille des liliacées. On utilise habituellement le bulbe de la plante. Il contient des vitamines du groupe B, de la vitamine C, A et E ainsi que des sels minéraux (potassium, calcium, fer, soufre et phosphore).

POMME DE TERRE

Plante herbacée, appartenant à la famille des solanacées qui comprend de nombreuses plantes médicinales ou vénéneuses (belladonne, jusquiame).
La pomme de terre est originaire d'Amérique du Sud (Mexique, Pérou, Bolivie). Elle fut introduite en Europe durant la seconde moitié du XVIe siècle. Elle ne fut utilisée comme aliment qu'en 1663 après une terrible famine en Irlande. Par la suite, les Français en généralisèrent la consommation (c'est la célèbre légende de Parmentier...). Le plan de pomme de

terre produit des tubercules dont la teneur en polysaccharide (amidon) est élevée. Sous la peau se trouve de la solanine, un alcaloïde toxique, à dose massive. Ce légume contient en outre du potassium, du calcium, du magnésium, du phosphore, du soufre, ainsi que des vitamines du groupe B et les vitamines E, K et C.

POTASSIUM

Voir **Composants minéraux de l'organisme**.

PREPARATIONS ALIMENTAIRES

La préparation culinaire des aliments végétaux (fruits, céréales, légumes frais, légumineuses) peut provoquer un appauvrissement parfois considérable de leur valeur nutritive. Les vitamines sont particulièrement vulnérables aux différents chocs physiques et chimiques auxquels on les soumet souvent durant la cuisson.

Ainsi, après une cuisson normale, on constate qu'environ 75% des vitamines ont été détruites, parfois même elles le sont en totalité.

Les vitamines hydrosolubles (B_1, B_2 et C) se sont avérées les moins résistantes.

Nous vous conseillons d'adopter la cuisson à la vapeur, car c'est la manière la plus sûre et la moins dommageable de faire cuire les végétaux (la température ne dépasse pas les 100°).

Il faudrait laver très rapidement les aliments végétaux. En effet, si vous laissez tremper trop longtemps les légumes (surtout s'ils sont coupés en petits morceaux), les vitamines hydrosolubles passent en solution dans l'eau. Ce phénomène est accentué par l'ébullition qui facilite la solubilisation des vitamines B_1, B_2 et C en particulier.

Les pommes de terre pelées avant la cuisson perdent environ

50% de leur vitamine C. La cuisson à la vapeur avec la peau limite cette déperdition à 10%.
La viande et les légumes frits perdent de 30 à 50% de leur vitamine B_5 (acide pantothénique) et B_6. La viande bouillie perd jusqu'à 30% de sa vitamine B_{12}.
En outre, la friture provoque de graves dégradations des vitamines liposolubles (A et E en particulier), et la disparition totale de la provitamine A (bêtacarotène). Le fait de hacher les légumes crus peut détruire certaines vitamines (la vitamine C en particulier).
Les techniques de fabrication du pain provoquent une diminution de la teneur en vitamine B_1 et en vitamine B_c (acide folique). En revanche, le taux de vitamine B_2 et PP ne semble pas varier.
Le tableau suivant donne, à titre indicatif, le pourcentage de déperdition vitaminique après la cuisson pour certains aliments.

POURCENTAGE DE DÉPERDITION VITAMINIQUE

	A	*B_1*	*B_2*	*PP*	*C*
Asperges	25	25	5	15	30
Carottes	8	30	20	20	45
Viande bouillie	0	65	30	50	0
Céréales	0	5	0	0	0
Oignons	5	45	15	30	30
Lait	10	10	10	10	20

PROSTAGLANDINE

Cette substance, synthétisée à partir d'acides gras polyinsaturés (vitamine F), n'est pas une véritable vitamine car elle possède une valeur énergétique. Toutefois, la synthèse des

prostaglandines ressemble, en de nombreux points, à celle de vitamines à partir de leurs provitamines.
On divise les prostaglandines en quatre grandes catégories: *prostaglandines de type E* ou *PGE*, solubles dans l'éther; *prostaglandines de type Ph* ou *PGPh*, solubles dans une solution phosphatée; *prostaglandines de type A* ou *PGA* et enfin *prostaglandines de type B* ou *PGB*.
Au sein d'un même groupe, on distingue différentes catégories en fonction de leur degré d'insaturation, c'est-à-dire, selon le nombre de liens moléculaires doubles (de 1 à 3). Ce nombre est indiqué par le chiffre placé en bas à droite de la dénomination de la prostaglandine (par exemple: PGR_1; PGE_2; PGE_3).
Les prostaglandines sont douées de propriétés biologiques très diverses. Souvent, même, elles ont des actions contradictoires. Ainsi, les PGE produisent une vasodilatation alors que les PFG sont responsables de vasoconstriction. Nous allons maintenant examiner l'action de ces substances sur certaines parties du corps.

- *Vaisseaux sanguins*. Les PGE provoquent une diminution de la pression artérielle (hypotension); les PGF provoquent une constriction des vaisseaux et donc une augmentation de la pression artérielle (hypertension).

- *Cœur*. La PGE provoque une accélération du rythme cardiaque.

- *Système nerveux*. Régulation de la transmission des influx nerveux.

- *Métabolisme*. Actions contradictoires; certaines prostaglandines permettent la prévention de l'artériosclérose; d'autres favorisent son apparition.

Ces contradictions soulignent la nécessité d'une alimentation équilibrée. En effet, il faut consommer des acides gras polyinsaturés d'une manière harmonieuse car chacun d'entre eux produit une prostaglandine capable de contrecarrer l'influence néfaste d'une autre.

PROTEINES

Les protéines constituent la substance fondamentale des êtres vivants.
Ont un caractère protéique toutes les enzymes, de nombreuses hormones complexes (insuline par exemple), les substances contractiles telles que la myosine des muscles, la kératinine, etc.
Les protéines sont constituées par l'enchaînement d'un grand nombre d'acides aminés reliés par des liaisons peptidiques.
Leur poids moléculaire peut varier de 16000 à plusieurs millions.
Les quatre éléments fondamentaux des protéines sont: le *carbone*, l'*hydrogène*, l'*azote* et l'*oxygène*; mais l'on trouve souvent également du soufre, et parfois d'autres éléments tels que le phosphore ou le fer...
Le carbone, qui dans le domaine inorganique se rencontre sous la forme de charbon, de diamant ou de graphite, constitue dans l'organisme l'élément plastique de protéines.
De nombreuses recherches en immunologie ont prouvé que la protéine est la substance la plus individualisée de l'organisme humain et animal. Chaque espèce possède sa protéine spécifique. Chaque homme est constitué de protéines qui portent son "empreinte" personnelle.
D'un point de vue nutritionnel, les protéines ont moins d'importance que les sucres ou les graisses.
La plupart des protéines de l'organisme sont en permanence détruites et reconstruites. L'homme doit consommer régulièrement des protéines animales et végétales qui sont digé-

rées par des enzymes protéolytiques qui désintègrent les substances protéiques complexes et libèrent des acides aminés. Ceux-ci sont absorbés par l'intestin grêle grâce à un processus sélectif; ils sont ensuite transportés du sang au foie par la veine porte. Une partie de ces acides aminés demeure dans le foie, le reste passe dans le circuit sanguin général et entre en équilibre dynamique avec les autres tissus qui en synthétisent un certain nombre (processus anabolique), alors que les acides aminés en excédent sont utilisés à des fins énergétiques (processus catabolique); l'azote est transformé en urée et éliminé dans les urines.

On appelle "acides aminés essentiels" les acides que l'organisme ne peut synthétiser et que l'on doit absorber avec les aliments.

La tâche fondamentale des protéines est la reconstruction du protoplasme de la matière vivante cellulaire.

Les aliments riches en protéines sont la viande, les laitages, le poisson, les céréales complètes, les légumes secs et les champignons.

PSEUDOVITAMINES

Terme que nous utilisons pour plus de commodité pour désigner des substances qui furent à l'origine considérées comme des vitamines mais dont la fonction vitaminique n'a pu être démontrée par la suite.

Une véritable vitamine est une substance essentielle pour les fonctions organiques, qui doit être absorbée avec les aliments car l'organisme n'est pas capable de la synthétiser, ou en produit une quantité insuffisante. Elle doit agir à des doses infinitésimales et ne doit pas représenter une source d'énergie.

Nous vous présentons ci-après une liste des pseudovitamines.

Pseudovitamines
Vitamine F
Vitamine P ou bioflavonoïdes
Inositol
Choline ou vitamine B_7
Acide para-amino-benzoïque ou PABA ou vitamine B_{10}
Carnitine ou vitamine B_{11}
Acide orotique ou vitamine B_{13}
Xantoptérine ou vitamine B_{14}
Acide pangamique ou vitamine B_{15}
Acide lipoïque ou acide thioctique.

R

RACHITISME
Voir **Carences en vitamine D.**

REPRODUCTION
Capacité biologique de produire la copie d'une entité vivante (cellule ou organisme complexe).
Les entités vivantes se transforment et se reproduisent. Lorsqu'elle se reproduit, la cellule sacrifie son unité et se divise en deux cellules filles.
Selon la génétique moléculaire, certaines substances se trouvent à la base de ce phénomène: ce sont les acides nucléiques dont dépend la transmission des caractères héréditaires. Ils composent les nucléoprotéines des chromosomes, contenus dans le noyau des cellules des organismes vivants.
Ces acides nucléiques ont une structure en double hélice. Ils contiennent des unités d'informations, appelés gènes (unités biologiques correspondant à un segment de molécule d'ADN ou d'ARN formée de bases azotées, puriques ou pyrimidiques).
Les gènes conditionnent la transmission et la manifestation d'un caractère héréditaire; ils peuvent se dupliquer (se reproduire d'une manière identique) ou bien "muter". Leur fonction consiste le plus souvent à servir de modèle pour la synthèse de chaînes polypeptidiques grâce au jeu successif de

la transcription ou de la traduction. Au niveau cellulaire, il existe deux types de division, c'est-à-dire deux modes de reproduction de la cellule: la mitose et la méiose.
Dans la mitose, chaque cellule fille possède le même nombre de chromosomes que la cellule mère et, par conséquent, les mêmes potentialités biologiques. Les cellules filles grandissent (croissance) jusqu'à ce qu'elles deviennent adultes et subissent à leur tour la division cellulaire (multiplication). Les cellules nées de la mitose sont "diploïdes", c'est-à-dire que les chromosomes sont présents par paires.
Dans la méiose, les cellules filles possèdent une seule série de chromosomes, elles sont dites cellules "aploïdes".
La méiose produit les cellules "germinales" (spermatozoïdes et ovules), les gemètes mâles et femelles qui doivent se rencontrer et fusionner pour donner une cellule disploïde qui deviendra un embryon; c'est la fécondation.
La reproduction asexuée se fonde sur la mitose (elle concerne les cellules et les organismes inférieurs), la reproduction sexuée se fonde sur la méiose.
Les processus de régénération des tissus (foie, sang, épithélium cutanée...) sont étroitement liés au phénomène de mitose.
Une carence en vitamine Bc (acide folique) et en vitamine B_{12} (cobalamine) peuvent provoquer une anémie mégaloblastique, ce qui s'explique par un blocage de la synthèse d'ADN (acide nucléique) indispensable à la mitose. Il s'ensuit un phénomène de gigantisme cellulaire entraînant un déséquilibre entre le noyau et le cytoplasme de la cellule qui ne peut plus mener à son terme le processus de division et meurt dans la moelle osseuse, au lieu de se transformer en globule rouge.
La biologie moléculaire nous donne de la nature une image fragmentée. Il faut savoir s'arracher à la fascination qu'exerce cette science nouvelle. Le monde est bien plus qu'un assemblage complexe de molécules.

RESPIRATION CELLULAIRE
C'est une des fonctions biologiques de base. La respiration pulmonaire grâce à laquelle l'anhydride carbonique est éliminé de l'organisme et l'oxygène de l'air est absorbé, n'est que l'expression visible d'un phénomène "subsensible": la respiration cellulaire. C'est grâce à des instruments scientifiques tels que le microscope que l'homme a été en mesure de découvrir ce qui se passait dans les profondeurs de la matière vivante. Vers 1870, le grand chimiste Lavoisier formula pour la première fois l'opinion selon laquelle des processus comparables à la combustion se développaient dans l'organisme animal. Plus tard, cette thèse fut confirmée et ce phénomène fut baptisé "oxygénation biologique".
Quelle que soit la matière "brûlée" (sucres ou graisses), l'oxydation biologique produit toujours de l'anydride carbonique et de l'eau.
L'oxygénation biologique des aliments se déroule en plusieurs étapes et aboutit à la décomposition des substances absorbées. Il s'agit, en quelque sorte, de la suite du processus digestif au niveau des cellules.
Ce processus, appelé aussi respiration cellulaire, fournit l'énergie nécessaire à la vie, qui est en partie stockée dans des substances de réserve contenant du phosphore, telles que l'ATP (celle-ci peut libérer, en cas de besoin, l'énergie indispensable à l'activité cellulaire).
Dans la nature, le processus opposé à la respiration cellulaire est la photosynthèse qui produit des sucres à partir d'eau et d'anhydride carbonique.
En fait ces deux processus sont complémentaires, l'homme respire l'oxygène des plantes, et les végétaux absorbent l'anhydride carbonique rejeté par l'homme.
Dans la cellule, à un certain stade de la respiration cellulaire, intervient un ensemble de substances, appelé "chaîne respiratoire" transportant de l'hydrogène. L'hydrogène est trans-

mis selon un ordre décroissant d'énergie potentielle, jusqu'à ce que la dernière réaction permette l'union de deux atomes d'hydrogène et d'un atome d'oxygène (molécule d'eau). Pendant le déroulement de ce processus, l'énergie libérée est utilisée pour la synthèse d'ATP (stockage d'énergie). La vitamine B_2 et la vitamine PP, dans leur forme active, entrent dans la composition de ces substances indispensables au bon fonctionnement de la respiration cellulaire.

RETICULO-ENDOTHELIAL

Se dit d'un tissu formé de cellules endothéliales disposées en réseau, et qui constitue la trame de la rate et des ganglions lymphatiques. Ce tissu joue un rôle dans l'hématopoïèse.

RETINAL

Dérivé aldéhydique du rétinol (vitamine A). Les aldéhydes, comme les cétones, sont des substances organiques, caractérisés par un "groupe fonctionnel" carbonylique. Le rétinal est un composant essentiel de la rhodopsine ou pourpre rétinien (pigment photosensible de la rétine). Lorsque la lumière atteint la rétine, le pourpre rétinien se décompose en rétinal et en opsine. Les réactions permettant la perception de la lumière sont dues à cette transformation qui donne naissance à une impulsion nerveuse.

Le rétinal est à la base du mécanisme d'adaptation de l'œil à l'obscurité, et l'un des premiers symptômes de carence en vitamine A est l'éméraltopie ou cécité crépusculaire.

RETINOL

Dit *vitamine A*. Il s'agit d'un alcool que l'on trouve dans la nature, en général sous forme estérifiée avec des acides gras.

RIBOFLAVINE
Voir **Vitamine B_{12}.**

RIZ
Le riz (*Oryza sativa*) appartient à la famille des graminées. Céréale originaire d'Asie orientale connue depuis la préhistoire. Aux environs de l'an 500 ou 600, les Arabes l'introduisirent en Espagne, puis dans le reste de l'Europe.
A la fin du XIXe siècle, les médecins hollandais découvrirent que le béribéri se propageait partout où le riz n'était plus décortiqué à la main mais avec une machine. En effet, la partie externe du grain, éliminée par le décorticage automatique, contenait la plus grande partie de la vitamine B_1 dont la carence provoque cette maladie.
Aujourd'hui, en Occident, notre alimentation est assez diversifiée pour que l'on ne risque pas d'hypovitaminose, même si l'on ne consomme que du riz blanc.
Le riz complet est en réalité, un riz dont on n'a enlevé que l'enveloppe externe, ce qui lui laisse la plupart de ses vitamines.
Le riz contient, outre la vitamine B_1, de la vitamine E et de nombreux sels minéraux (phosphore, soufre, fer, manganèse et potassium). C'est une céréale très nutritive qui a une action reminéralisante.

SALADES

Ce terme désigne les feuilles de certaines plantes herbacées que l'on consomme généralement crues. En voici quelques-unes.

• *Laitue.* Appartenant à la famille des composites, est connue depuis l'Antiquité pour ses propriétés légèrement hypnotiques. Elle contient des vitamines du groupe B, de la vitamine E et C ainsi que de nombreux sels minéraux.

• *Chicorée.* Appartient à la famille des composites. Contient des vitamines du groupe B, de la vitamine C et de la provitamine A (bêtacarotène) ainsi que de nombreux sels minéraux (potassium, calcium, phosphore et soufre).

• *Cresson.* Appartient à la famille des crucifères. Contient des vitamines du groupe B, de la vitamine C et de la provitamine A, ainsi que d'importantes quantités de potassium, de calcium et surtout de soufre.

• *Pissenlit.* Appartient à la famille des composites. On en récolte les bourgeons au printemps. Il contient de la provitamine A, de la vitamine B_1, B_2 et C ainsi que du potassium, d'importantes quantités de calcium, de phosphore et de soufre.

SARRASIN
Ce terme regroupe trois sortes de céréales de la famille des polygonacées. On en retire une farine de couleur foncée, riche en substances azotées avec laquelle l'on fabrique du pain ou de la semoule.
Le sarrasin contient de la vitamine P (bioflavonoïdes), et l'on pense qu'il exerce une influence bénéfique sur le système sanguin. On y trouve également des vitamines du groupe B, en particulier de la vitamine B_1 et du phosphore. La protéine de cette céréale possède une forte teneur en lysine qui est un acide aminé essentiel.

SCORBUT
Voir **Carence en vitamine C**.

SEBORRHEE
Hypersécrétion de sébum. Le sébum est une substance grasse, semi-liquide, contenant des éthers, des acides gras et des alcools. Selon que l'augmentation de sécrétion séborrhéique s'accompagne de desquamations plus ou moins fortes, on parle de forme grasse ou de forme sèche.
La séborrhée frappe surtout le cuir chevelu et sa forme sèche peut provoquer une chute de cheveux et de légers prurits. Des carences en vitamine B_2, B_6, F et H sont responsables de ces dérèglements. En cas de carence en vitamine B_2, on observe une dermatite séborrhéique du visage qui se concentre sur l'arête du nez, l'extrémité des sourcils et le lobe des oreilles.

SEIGLE
Le seigle (*Secale cereale*) est une plante de la famille des graminacées cultivée depuis l'âge du bronze. Aujourd'hui, cette

céréale est surtout répandue en Europe du Nord. Elle est extrêmement nutritive et possède des vertus laxatives. Elle contient des vitamines du groupe B et des sels minéraux (phosphore, magnésium, potassium et fer).

SITES D'ACTION DES VITAMINES

Nous vous indiquons ci-dessous les parties du corps sur lesquelles les vitamines exercent une influence au niveau physiologique.

Sites	*Vitamines*
Système nerveux	B_1-B_2-B_6-B_{12}-C-D-PP
Sang	B_{12}-Bc-E-K
Peau	A-H-PP
Muqueuses	A-C
Cœur	B_1
Système reproducteur	E

Bien que les vitamines exercent leur action sur tout l'organisme car elles interviennent dans le métabolisme des sucres, des graisses et des protéines, on remarquera que leur influence se concentre sur le système nerveux.
Tout déséquilibre nutritionnel a, tôt ou tard, une incidence sur le tissu nerveux; il est donc essentiel de surveiller son alimentation si l'on tient à l'intégrité de ses fonctions physiques et intellectuelles.

SODIUM

Voir **Composants minéraux de l'organisme**.

SON

C'est la partie périphérique des grains de céréalc lorsqu'elle en a été séparée, par l'action de la mouture. Il contient de la cellulose en grande quantité, des substances azotées, des minéraux et quelques vitamines, en particulier du groupe B.

Le problème de savoir s'il faut ou non consommer du pain enrichi au son se pose périodiquement. En effet, l'agriculture moderne faisant un usage sans cesse croissant de pesticides, on pense que l'enveloppe externe des céréales a de grandes chances d'être contaminée. Il est donc conseillé de choisir, lorsque cela est possible, du pain "biologique" dont l'origine est contrôlée.

Outre sa richesse minérale et vitaminique, le son présente l'avantage de faciliter le transit intestinal. Une carence en fibres alimentaires, c'est-à-dire essentiellement en son, peut constituer un facteur de risque pour certaines maladies telles que les colites (irritation du côlon), la diverticulose, l'appendicite, les calculs biliaires (favorisés par un excès de cholestérol non expulsé par le côlon), ainsi que le cancer du rectum et du côlon.

SUCRES

Dits *hydrates de carbone* ou *glucides*. Ce sont des substances très répandues dans le règne végétal, constituant une source d'énergie essentielle.

Leurs molécules contiennent des atomes d'hydrogène et d'oxygène dans les mêmes proportions que les molécules d'eau. Leur formule générale est $C_nH_{2m}O_m$, où m représente un nombre égal ou légèrement inférieur à n.

Outre sa saveur, le sucre est caractérisé par son pouvoir réducteur (faculté de perdre des électrons) et l'activité optique (faculté de faire tourner le plan de la lumière polarisée).

Les sucres se divisent en trois grandes catégories:

• *Monosaccharides.* Sucres simples se dissolvant dans l'eau sans hydrolyse (c'est-à-dire sans se décomposer chimiquement).

• *Disaccharides.* Solubles dans l'eau, se décomposant en deux molécules de monosaccharides.

• *Polysaccharides.* Non solubles dans l'eau. Qui peuvent sous certaines conditions se décomposer par hydrolyse en plusieurs molécules de monosaccharides.
Le glucose est un monosaccharide contenu à l'état libre dans de nombreux fruits. Il est également présent dans l'organisme humain, en particulier dans le sang du système circulatoire où son taux est d'environ de 1/1000.
Le saccharose ou sucre de canne est un disaccharide. Il résulte de la combinaison d'une molécule de glucose et d'une molécule de fructose.
Les polysaccharides les plus importants d'un point de vue diététique sont le glycogène, l'amidon et la cellulose. Toutes ces substances sont composées de longues chaînes de glucose dont les structures chimiques diffèrent.
La digestion des hydrates de carbone suppose plusieurs décompositions successives jusqu'à ce qu'ils soient transformés en unités assez simples pour être absorbés par le sang à travers la paroi intestinale.
Dans l'organisme humain le sucre joue un rôle essentiel, en particulier dans le métabolisme cérébral.
Les activités musculaire et cardiaque exigent elles aussi la présence de glucose.
Le sucre non utilisé est emmagasiné dans le foie (sous la forme de glycogène) et dans les muscles. Il est ensuite transmis à l'organisme en cas de besoin, sous forme de glucose.
Le glycogène stocké dans le foie est décomposé sous l'action des catécholamines (adrénalines, noradrénaline...). Du glucose est ainsi libéré afin de fournir l'énergie requise.

En cas d'accumulation excessive dans les cellules, le sucre se transforme en graisse.
L'organisme peut également produire du sucre à partir des graisses, et même, en cas de besoin, à partir des acides aminés des protéines (gluconéogénèse).
La combustion du sucre (oxydation biologique) dans les cellules requiert la présence de vitamine B_1 afin d'éviter une accumulation de substances nocives. En cas de carence de vitamine B_1, on assiste à une production excessive d'acide pyruvique qui a une action nocive sur l'organisme, en particulier sur le système neuromusculaire dont il désorganise l'activité fonctionnelle.
Les aliments les plus riches en hydrate de carbone sont le sucre, bien entendu, les céréales, les féculents, les légumes, les fruits, le miel...

SYNDROME
Terme médical désignant un ensemble de symptômes qui caractérisent une maladie, une affection.

SYNDROME DE BURR
Voir **Carence en vitamine F**.

SYSTEME NEURO-VEGETATIF
Système nerveux réglant la vie végétative de l'organisme. Il est formé de ganglions et de nerfs; il est relié à l'axe cérébro-spinal, qui contient les centres réflexes. On distingue dans ce système neuro-végétatif, dit aussi nerveux autonome, le système orthosympathique ou sympathique, et le système parasympathique, qui innervent les mêmes viscères, mais qui ont des effets antagonistes.

L'ensemble de substances à travers lesquelles il agit s'associe aux hormones et aux vitamines pour maintenir l'équilibre des fonctions vitales inconscientes (respiratoire, circulatoire...).
Le sympathique tend à augmenter l'activité organique en accélérant le rythme cardiaque et en stimulant la respiration ou le métabolisme de base par exemple. C'est la partie "cinétique" du système, celle qui produit du mouvement, de l'énergie.
Le parasympathique joue le rôle inverse. Il provoque une baisse de la pression artérielle, ralentit le rythme cardiaque, dilate les vaisseaux, inhibe le métabolisme de base afin d'économiser de l'énergie. C'est le pôle d'activité "potentielle".
La décharge nerveuse produite par les catécholamines (l'adrénaline, par exemple) s'exprime par un ensemble de réactions physiologiques "d'alerte" (accélération du rythme cardiaque, sensation de peur...) qui précèdent généralement une fuite ou une action impliquant de l'espace et de l'énergie.
Le système nerveux orthosympathique s'associe dans ses activités régulatrices au système endocrinien qui produit les hormones. Nous pourrions peut-être en tirer la conclusion audacieuse que le système nerveux sympathique est de nature "animale" puisque lié aux hormones, alors que le système parasympathique serait plutôt lié à la nature végétale des vitamines.

SZENT-GYÖRGYI (Albert)
Médecin hongrois, prix Nobel de médecine en 1937. Il fut récompensé pour ses recherches sur la vitamine C et sur la catalyse de l'acide fulminique.
Il est surtout célèbre pour avoir identifié la vitamine P ou bioflavonoïde, qui a une grande influence sur la perméabilité des capillaires.

T

TECHNIQUE AGRICOLE ET VITAMINES

Nous l'avons déjà vu, les vitamines, qui ne peuvent être synthétisées par l'organisme, se trouvent dans les aliments. Certains d'entre eux, comme les céréales, contiennent des substances nutritives en quantité et en proportion idéales comme si la nature les avait créés pour qu'ils puissent agir sur les organismes vivants dans les meilleures conditions.
Une étude comparée de l'action de diverses vitamines sur le métabolisme a révélé que ces substances vitaminiques "coopèrent" pour assurer le fonctionnement de l'organisme. Sauf cas particulier, l'ajout de vitamines synthétiques paraît superflu sinon nuisible si le régime alimentaire est équilibré. A notre époque se pose pourtant un grave problème. La dégradation de l'environnement (du sol en particulier) risque de provoquer un appauvrissement généralisé des aliments. Les plantes et les animaux, contaminés par les produits chimiques, si généreusement répandus par l'homme, perdent leur "force vitale"; l'ensemble des forces biologiques qui les régissent a été perturbé. L'agriculture biologique qui se développe à l'heure actuelle a prouvé que l'on pouvait obtenir un excellent rendement sans polluer l'environnement.
L'avenir de l'alimentation humaine ne se joue pas uniquement dans les laboratoires de recherche. Une prise de conscience philosophique et morale est essentielle à la sauvegarde

de l'humanité. En effet, si l'on continue au rythme actuel, qui sait quel avenir nous attend? La terre et ses merveilleuses ressources ne sont pas inépuisables!

TECHNIQUES ALIMENTAIRES ET VITAMINES

Vous avez sûrement déjà pu voir de nombreux tableaux indiquant la valeur vitaminique d'un certain nombre d'aliments. En réalité, ces récapitulatifs n'ont guère d'intérêt pratique. En effet, la teneur vitaminique d'un aliment dépend de facteurs extrêmement divers. Citons pour exemple la variabilité génétique des végétaux, les techniques de stockage et de conservation, l'emploi d'additifs chimiques et toutes les manipulations auxquelles est soumise la nourriture avant qu'elle ne soit consommée y compris la manière dont elle est cuisinée. A tous ces facteurs, s'ajoute bien entendu la pollution de l'environnement et ses conséquences sur la vitalité de la terre.

Les légumes et les fruits subissent des pertes vitaminiques considérables lorsqu'ils sont conservés un long moment avant d'être consommés. La vitamine C est celle qui risque de se dégrader le plus rapidement. Au printemps, les pommes de terre ont déjà perdu 50% de leur teneur en vitamine C; celle des épinards disparaît totalement en quelques jours. Les pommes conservées deux ou trois mois peuvent perdre jusqu'au deux tiers de leur teneur en acide ascorbique. Presque tous les légumes verts conservés à température ambiante perdent toute leur vitamine C en quelques jours. La conservation au réfrigérateur permet de sauver une partie de la valeur nutritive des végétaux.

Rappelons que le scorbut, lié à une hypovitaminose C, frappait surtout les marins qui ne pouvaient manger de produits frais pendant de longs mois.

Des facteurs tels que l'air, la lumière et la chaleur peuvent causer une diminution de la teneur vitaminique des aliments. En été, par exemple, le lait perd environ 90% de sa vitamine B_2, s'il reste exposé au soleil pendant deux heures; 45% si le temps est nuageux, et 30% si le ciel est très couvert. Tous les procédés de conservation impliquant de hautes températures provoquent d'importantes pertes vitaminiques.

• *Le blanchiment.* Procédé consistant à plonger les végétaux dans de l'eau bouillante avant de les mettre en conserve ou de les congeler afin d'éliminer les gaz et de détruire les enzymes.
Selon la manière dont sont effectuées les opérations de blanchiment, les pertes en vitamine C peuvent varier de 13 à 60%; en vitamine B_1 de 2 à 30%; en vitamine B_2 de 5 à 40%.

• *L'upérisation.* Procédé de stérilisation du lait consistant à le porter pendant quelques secondes à très haute température (140°). Cette méthode provoque des pertes vitaminiques relativement élevées; les vitamines liposolubles (A, D, E, K) semblent mieux résister que les hydrosolubles à cette forme de stérilisation.

• *La lyophilisation.* Déshydratation par sublimation à basse température et sous vide, que l'on fait subir à certaines substances telles que le café. Cette technique de conservation semble ne pas provoquer de perte vitaminique importante contrairement à la *déshydratation* par air chaud.
La pasteurisation ou la stérilisation sont responsables d'une diminution considérable de la teneur en vitamines du lait. Les jus de fruits peuvent perdre de 30 à 50% de leurs vitamines selon la méthode de conservation utilisée.

En ce qui concerne la surgélation, la perte vitaminique est causée par le blanchiment préalable auquel l'on soumet les aliments. A partir de —18°, la teneur vitaminique reste quasiment intacte. A une température supérieure à —9°, les vitamines les plus oxydables sont détruites assez rapidement. En outre, signalons que les boîtes de conserve peuvent être d'excellente qualité. En règle générale, disons que si un produit a gardé intacte toute sa saveur et son arôme, sa valeur nutritive n'a probablement subi aucune atteinte (à l'exception toutefois de la teneur en vitamine C, extrêmement vulnérable).

Les meilleures méthodes de conservation paraissent donc être la surgélation et la lyophilisation qui occasionnent des pertes vitaminiques insignifiantes.

La présence d'additifs chimiques influe également sur la valeur nutritive des aliments. Ainsi, l'anhydride sulfureux utilisé pour préserver la couleur des produits ainsi que les nitrites, les nitrates et les sulfures de sodium provoquent une diminution du taux de thiamine (vitamine B_1).

Les vitamines elles-mêmes peuvent être utilisées comme agent de conservation (antioxydants). La vitamine C est rajoutée à la viande traitée aux nitrites afin d'empêcher la formation de nitrosamine (substance hautement cancérigène). La vitamine F, elle, est utilisée comme antioxydant afin d'améliorer la stabilité des huiles riches en acides gras polyinsaturés.

THIAMINE

Voir **Vitamine B_1.**

TRICOPATHIE

Etymologiquement, maladie des cheveux et des poils. Un type particulier de trichopathie est l'alopécie qui se manifeste par une chute des cheveux et des poils, inégalement répartie. Chez les animaux, cette affection peut être provoquée par une carence en vitamine H ou en inositol.

UBIQUINONE
Dite *coenzyme Q*. Elle joue un rôle essentiel dans la chaîne respiratoire mitochondriale (voir **Respiration cellulaire**).
L'ubiquinone assure le transport des électrons. Cette substance n'est pas une vraie vitamine; sa fonction est liée au processus énergétique cellulaire, elle est particulièrement importante pour le tissu cardiaque.
En thérapie, elle est utilisée pour le traitement d'insuffisance cardiaque bien que son rôle dans ce domaine n'ait pas été clairement défini.

VEGETALISME ET CARENCES VITAMINIQUES
Le végétalisme est une forme extrême de végétarisme. Le régime végétalien exclut tous les aliments d'origine animale, y compris le lait et tous ses dérivés ainsi que les œufs. La conséquense de cette diète est presque toujours une carence en vitamine B_{12}. Toutefois, il semble que les légumineuses contiennent de faibles quantités de cette vitamine car, dans leurs nodules, se développent des micro-organismes capables de la synthétiser (voir **Légumineuses**).
Les manifestations pathologiques d'une hypovitaminose B_{12} (anémie mégaloblastique, dégénération de la moelle épinière) sont donc rares (des symptômes alarmants ont toutefois été

relevés chez des adeptes du végétalisme "pur et dur"). Normalement, les réserves corporelles en vitamine B_{12} sont bien supérieures aux besoins quotidiens de l'organisme. Les personnes dont le régime est carencé en vitamine B_{12} conservent un équilibre métabolique grâce à la réabsorption par leur organisme de la vitamine excrétée par la bile qui la puise dans les dépôts précédemment accumulés.
Il faut souligner qu'un régime végétarien ne peut être bénéfique que s'il s'accompagne d'une prise de conscience profonde. Pour ne pas souffrir de carences, un adepte de cette diète devra prêter une attention particulière à son alimentation et veiller à ne consommer que des aliments naturels, non dégradés. Dans le cas contraire, le végétalisme risque de se transformer en expérience superficielle et nocive.

VISION PHENOMENOLOGIQUE ET VITAMINES

La phénoménologie est à la base de toutes les médecines parallèles qui se développent à l'heure actuelle. Elle puise ses sources dans la sagesse antique qui guida la médecine durant des siècles. Le terme phénoménologie est assez récent (XVIIIe siècle), mais la réalité qu'il recouvre est bien plus ancienne et a été perçue par l'homme depuis la préhistoire.
Le mot "phénoménologie" contient la racine grecque "apparaître", "se manifester". On pourrait en donner la définition suivante: science se fondant sur la description de ce qui est visible.
Dans l'histoire de la philosophie, la phénoménologie a suivi un parcours assez sinueux. Sans entrer dans les détails, disons que cette doctrine s'est assignée comme objectif de présenter la réalité d'une manière globale, de décrire les événements dans leur complexité et de tirer des lois universelles de l'observation rigoureuse de la nature. La caractéristique de cette approche est qu'elle ne réduit pas les phénomènes naturels

à leur dimension chimique ou physique. Au contraire, elle tente de percevoir le monde dans son intégralité.
Si l'on examine donc le problème des vitamines à la lumière de cette philosophie, on est amené à rattacher ces substances à un processus plus général qui englobe le règne végétal et la dynamique de la lumière, en fait au monde "solaire".
Johann Wolfgang Goethe, le grand poète allemand, a appliqué la méthode phénoménologique à l'étude de la nature avec une rigueur et une intelligence rares comme en témoignent ses écrits scientifiques (*la Métamorphose des plantes, la Théorie des couleurs*, etc.).
Dans *La Métamorphose des plantes,* il exprime l'idée que les végétaux, se développant à travers les siècles, tendent à se transformer et à aboutir à une "plante idéale".

VITAMINE A

Dite *rétinole* ou *antixérophtalmique* ou *épythélio-protectrice*.
C'est une vitamine liposoluble, étroitement liée, d'un point de vue chimique, au bêtacarotène que l'organisme peut transformer en vitamine A (forme active) et qui est par conséquent une provitamine.
Autrefois, alors que la notion de vitamine n'était pas encore apparue, l'on soignait avec succès l'héméralopie en donnant à manger aux malades du foie, de préférence cru. A la fin du siècle dernier, l'on a commencé à mettre en évidence une corrélation entre la malnutrition et certaines maladies oculaires.
Au début du XXe siècle enfin, l'on s'est aperçu que certaines substances liposolubles, contenues dans les aliments, étaient des facteurs indispensables à la croissance des animaux de laboratoire. La structure chimique de la vitamine A fut définie par Karrer en 1931.
Cette importante vitamine se trouve sous forme de bêtaca-

rotène (provitamine) dans la plupart des plantes et des légumes ainsi que dans de nombreux fruits. On la trouve sous d'autres formes (rétinoles) dans le foie des gros poissons de mer (requin, morue) et en quantité plus minime (mais néanmoins importante) dans le jaune d'œuf, le lait entier, le beurre, la crème et le germe de blé.
Le bêtacarotène est l'une des provitamines A ou caroténoïdes, les plus importantes. Il est liposoluble et se transforme en vitamine A dans la paroi intestinale.
Le foie accumule d'importantes réserves de vitamine A qui couvrent les besoins d'un sujet sain pendant une longue période, même en cas de régime pauvre.
Les manifestations carentielles apparaissent le plus souvent chez des personnes atteintes de maladies chroniques provoquant une déficience de l'absportion des graisses (maladie du tractus biliaire ou du pancréas), ou en cas de sous-nutrition prolongée, de cirrhose portale et de colites.
Des symptômes d'hypovitaminose A peuvent également apparaître à la suite d'une intervention sur le système digestif telle que la gastrectomie. En cas de graves troubles hépatiques le taux de vitamine A dans le sang peut baisser rapidement à la suite de difficultés de stockage de cette vitamine ou d'une synthèse déficiente de la protéine de liaison, à travers laquelle cette substance circule dans le sang.
La carence en vitamine A est l'une des plus graves. De nos jours, ce sont les enfants du tiers monde qui en souffrent le plus souvent. Elle provoque chez eux de graves maladies tel les que le Kwashiorkor ou le marasme.
La principale fonction biochimique de la vitamine A est liée à sa participation au processus de la vision. En effet, elle joue un rôle essentiel dans la constitution de la rétine. Elle participe en particulier à la formation du pourpre rétinien (rhodopsine), qui est le récepteur de la lumière à basse intensité. Une carence en vitamine A provoque des troubles de la régé-

nération du pourpre rétinien qui se traduisent dans un premier temps par un phénomène de cécité crépusculaire. Par la suite, apparaît la xérophtalmie accompagnée d'un assèchement et d'une atrophie de la conjonctive bulbaire, qui peut causer une opacification de la cornée.
La vitamine A est en outre indispensable à l'intégrité de l'épithélium au niveau de la peau et des muqueuses où elle favorise la synthèse des mucopolysaccharides et la sécrétion de mucosités. La carence en vitamine A (voir **Carence en vitamine A**) se manifeste par une atrophie des cellules épithéliales avec kératinisation et épaississement de la peau.
La vitamine A est également considérée comme un facteur de croissance, nécessaire au développement des os, à la reproduction et l'embryogenèse.
Outre ces syndromes carentiels, l'on a observé quelques cas d'hypervitaminose liés à une consommation excessive de cette vitamine.
Rudof Hauschka dans *Substanzlehre* (*Nature de la substance*) établit une relation entre la vitamine A et le phénomène de chaleur associé aux substances oléagineuses. Il affirme que les lésions atrophiques oculaires et cutanées ainsi que les troubles de la croissance qui résultent de la carence en vitamine A sont liés à une incapacité de l'organisme à générer de la chaleur.

VITAMINE B_1

Dite *thiamine, neurine* ou *vitamine antibéribéri.* C'est une vitamine hydrosoluble. Elle est composée d'un dérivé de la pyrimidine et du thiazole (d'où le nom de thiamine).
L'histoire de cette vitamine est étroitement liée à celle du béribéri, une maladie connue depuis presque cinq mille ans en Chine.
C'est la première des vitamines du groupe B à avoir été décou-

verte et identifiée chimiquement. Elle fut isolée vers la fin du XIXe siècle quand Takaki combattit les ravages du béribéri en introduisant certains changements dans l'alimentation des marins de la flotte japonaise. En 1885, Eijkman, médecin hollandais de l'île de Java, provoqua expérimentalement, chez des poulets, une polynévrite, semblable au béribéri, qu'il fit disparaître en administrant à ces animaux une substance hydrosoluble présente dans les cuticules de riz. Un peu plus tard, Funk isola à partir de la cuticule une substance cristalline active contre le béribéri. Plus tard, lorsqu'on découvrit qu'il s'agissait d'une amine, Funk la baptisa "vitamine" (ce terme fut ensuite étendu à l'ensemble des substances nutritives indispensables à l'organisme mais que celui-ci n'est pas en mesure de synthétiser et qui doivent donc être absorbées avec les aliments).

Toutefois, c'est en 1936 seulement que l'on parvint à synthétiser artificiellement cette substance après que sa structure chimique fut totalement analysée par Williams.

La vitamine B_1 se trouve en abondance dans la pellicule externe des grains de nombreuses céréales (froment, riz, etc.) et dans la levure de bière. Elle est présente pratiquement dans tous les tissus animaux et végétaux, en particulier dans les légumes et les fruits.

Le lait, le jaune d'œuf, le pain traditionnel et le riz décortiqué en contiennent également.

La grande solubilité de la vitamine B_1 implique une importante déperdition pendant la cuisson des aliments (l'ébullition lui est spécialement néfaste). L'eau de cuisson que l'on jette généralement recèle donc une certaine quantité de vitamine B_1 ainsi que d'autres vitamines hydrosolubles et peut être consommée avec profit. Les infusions et tisanes peuvent également être une source vitaminique valable.

Les aliments réchauffés aux rayons infrarouges perdent environ 65% de leur teneur en thiamine. En revanche, la surgé-

lation semble ne pas avoir d'influence sur la valeur vitamini que des aliments.
Seuls les végétaux et certains animaux inférieurs peuvent effectuer la biosynthèse de la vitamine B_1. L'homme doit la tirer de son alimentation bien que les bactéries intestinales en produisent une petite quantité qui s'avère insuffisante pour les besoins physiologiques quotidiens.
La vitamine B_1 est absorbée rapidement par la première partie de l'intestin grêle et rejoint le foie par l'intermédiaire de la veine porte. L'activation de la vitamine survient, semble-t-il, dans les cellules du foie. La forme active de la vitamine est la pyrophosphate de thiamine (cocarboxylase); cette substance résulte d'une réaction enzymatique: la phosphorylation (transfert du phosphore d'un composé organique à un autre par l'intermédiaire d'une enzyme).
La thiamine se concentre particulièrement au niveau du cerveau, du foie, des reins et du cœur. Les réserves de l'organisme ne sont jamais très importantes et un apport quotidien est indispensable. Les troubles intestinaux liés à une mauvaise absorption et les maladies hépatiques, en particulier celles que cause l'alcoolisme, sont accompagnés de carences en vitamine B_1.
Cette vitamine est éliminée par les reins, à travers l'urine, et dans une moindre mesure avec la sueur et les fèces.
Le pyrophosphate de thiamine (substance active) a une fonction de coenzyme dans le métabolisme des hydrates de carbone (sucres) où il participe à l'oxydation (combustion biologique) de l'acide pyruvique (décarboxylation oxydative). L'acide pyruvique est un acide organique et un important intermédiaire métabolique. La "lésion biochimique" caractéristique de l'avitaminose B_1 consiste en une notable augmentation du taux d'acide pyruvique dans le sang et dans les tissus, en particulier dans les tissus nerveux, où il participe normalement à la synthèse de l'acétylcholine. Celle-ci est indis-

pensable à la transmission de l'influx nerveux (voir **Neuro-médiateurs**) au niveau des synapses (point de jonction entre les cellules nerveuses). Ce déséquilibre des substances médiatrices de l'influx nerveux pourrait être à l'origine des troubles neurologiques liés à la carence en vitamine B_1 qui est considérée par certains auteurs comme un facteur essentiel de la transmission de l'influx nerveux.
Il convient en outre de souligner le lien existant entre la thiamine et le métabolisme des sucres. Les besoins en vitamine B_1 augmentent lorsque les hydrates de carbone sont la source énergétique principale de l'organisme. Les carences en vitamine B_1 apparaissent en cas de régime à base de produits très raffinés (farine blanche, riz décortiqué) ou d'aliments dont la teneur vitaminique est altérée par de trop nombreuses manipulations (conservation, stockage, stérilisation, etc.). Toutefois, dans la plupart des cas l'hypovitaminose B est provoquée par des affections intestinales chroniques, des opérations sur l'appareil digestif, et surtout l'alcoolisme qui est une des causes les plus communes.
Selon Rudolph Hauschka, les vitamines B présentes dans les cutiles et enveloppes des céréales contiennent des "forces d'ordonnancement de l'espace" que l'on retrouve dans les mythes, à l'origine de la création de l'univers.
En cas de carence de ces forces, l'ordre intérieur de l'organisme se désagrège et l'on voit apparaître des manifestations de désorganisation de la matière vivante, des muscles par exemple qui se dissolvent et se transforment en pulpe comme on peut le voir chez les personnes atteintes des troubles amiotrophiques et névritiques associés au béribéri.

VITAMINE B_2

Dite *riboflavine* (autrefois lactoflavine car on trouve cette substance dans le lait).

C'est une vitamine hydrosoluble. D'un point de vue chimique, elle est le résultat de l'association d'une substance appelée isoalloazyne, un composé flavinique à structure azotée, et d'un sucre à cinq atomes de carbone (pentose) appelé ribose, d'où le nom de riboflavine.

La riboflavine fut identifiée dans le lait par Blyth en 1879. Au départ, on la confondit avec d'autres vitamines B. Vers 1935, certains chercheurs parvinrent à l'isoler et par la suite à la synthétiser.

Cette substance se trouve dans de nombreux aliments car elle est très répandue dans la nature. Elle est présente surtout dans les levures, les germes et les cuticules de céréales, dans le lait, les œufs, les feuilles, les légumes, ainsi que dans les muscles des animaux, les rognons et le foie.

La riboflavine est absorbée à travers la paroi intestinale où elle s'associe au phosphore pour former deux substances appelées FAD (dinucléotide de la flavine-adénine) et FMN (mononuclétide de la flavine) indispensables à l'action de nombreuses enzymes intervenant dans la respiration cellulaire.

Elle est essentiellement rejetée dans les urines, et pour une moindre part dans la sueur.

D'un point de vue biochimique, la riboflavine participe aux réactions d'oxydation biologique produisant l'énergie nécessaire aux besoins de la cellule. Elle est donc impliquée dans le métabolisme des sucres, des graisses et des protéines.

Une carence en vitamine B_2 détermine une diminution de la synthèse des protéines et une augmentation de l'excrétion d'acides aminés.

La plupart des tissus organiques contiennent de la riboflavine associée à du phosphore. Toutefois, la rétine et la cornée recèlent une quantité relativement élevée de riboflavine libre. Il semble que dans les yeux les réactions d'oxydation ne puissent avoir lieu sans l'intervention d'une enzyme contenant de la riboflavine.

Les carences en riboflavine sont rares chez l'adulte, sauf en cas de sous-nutrition grave.
Elles sont généralement provoquées par un régime déséquilibré (riche en sucres et en graisses et pauvre en protéines). On a observé des cas d'hypovitaminose B_2 chez certains bébés nourris exclusivement au lait artificiel.

VITAMINE B_3
Voir **Vitamine PP.**

VITAMINE B_4
Voir **Adénine.**

VITAMINE B_5
Acide pantothénique. C'est une vitamine hydrosoluble formée par l'association de deux substances: la bêta-alanine (acide aminé) et l'acide butyrique (acide organique).
Historiquement, la vitamine B_5 est liée a une maladie cutanée du poulet, appelée "pellagre du poulet". En 1939, on démontra que l'acide pantothénique était le facteur dont la carence déterminait l'apparition de cette maladie chez les volatiles.
La vitamine B_5 est très répandue dans le règne végétal et animal. On en trouve en abondance dans les levures, le jaune d'œuf, la cuticule du riz et du froment ainsi que dans le foie, les rognons et la gelée royale.
L'acide pantothénique est absorbé par l'intestin et est transporté par le sang jusqu'aux tissus où, dans sa forme active, il entre dans la constitution de la coenzyme A qui intervient dans la synthèse des lipides, des hormones stéroïdes, des acides aminés ainsi que de nombreux autres composés.
La carence en vitamine B_5 est rare chez l'homme car cette substance est présente dans la plupart des aliments.

VITAMINE B_6

Dite aussi *pyridoxine* et *adermine*. C'est une vitamine hydrosoluble dont la carence ne produit pas de troubles cliniques précis. Cette absence de symptômes a retardé son identification qui n'est survenue qu'en 1935.

La vitamine B_6 est dérivée de la pyrimidine et se présente sous trois formes: la pyridoxine, la pyridoxamine et le pyridoxal.

Comme les autres vitamines du groupe B, elle se trouve surtout dans les levures et les germes et cuticules de céréales. Elle est également présente dans les légumes verts, les pommes de terre, le jaune d'œuf, les fruits, la viande, le foie, le lait....

Le lait maternel en est une source essentielle pour le jeune enfant. Une alimentation exclusivement artificielle, sans apports vitaminiques supplémentaires, peut être à l'origine de graves troubles cérébraux (encéphalopathie). La vitamine B_6 participe à de nombreuses réactions métaboliques au cours desquelles elle coopère avec une soixantaine d'enzymes. Elle joue surtout un rôle primordial dans le métabolisme des acides aminés et des protéines.

Le rayon d'action de cette substance est très large. Elle participe à la glucogenèse (formation du glucose par les acides aminés), à la synthèse de l'hémoglobine (protéine des globules rouges contenant du fer) et des amines cérébraux (voir **Neuromédiateurs**). Elle semble en outre avoir un rôle dans la réduction du taux d'acide oxalique dans les urines, qui est une des causes concomitantes de la lithiase (calculs biliaires et rénaux).

La pyridoxine participe enfin à une réaction biochimique de toute première importance: la production d'acide gamma-amino-butyrique (GABA) à partir de l'acide alpha-cétoglutarique grâce à la formation d'acide glutamique (acide aminé précurseur de GABA, un des constituants de l'acide folique). Le GABA est le plus important des médiateurs cérébraux impliqués dans la transmission de l'influx nerveux. L'apparition de crises convulsives (généralement chez des sujets prédisposés) observées en cas d'hypovitaminose B_6 semble pouvoir être attribuée à une diminution de la synthèse d'acide gamma-amino-butyrique.

VITAMINE B_7
Voir **Choline.**

VITAMINE B_8
Voir **Vitamine H.**

VITAMINE B_9
Voir **Vitamine Bc.**

VITAMINE B_{10}
Voir **Para-amino-benzoïque (acide).**

VITAMINE B_{11}
Voir **Carnitine.**

VITAMINE B_{12}
Dite *cobalamine*. C'est une vitamine hydrosoluble dont la structure est extrêmement complexe. On regroupe sous le nom de cobalamine diverses formes comme la cyanocobalamine, l'hydroxycobalamine et la nitrocobalamine. Ces substances possèdent une structure annulaire ressemblant à celle des porphyrines, qui renferme en son centre un atome de cobalt

lié à quatre atomes d'azote. Le système porphyrique est caractéristique de l'hémoglobine et des cytochromes (enzymes de la chaîne respiratoire contenant des atomes de fer) et de la chlorophylle (contenant du magnésium).
Il semble que toutes les cobalamines soient physiologiquement actives.
L'histoire de la vitamine B_{12} est liée à son action antianémique. En 1925 on démontra l'action anti-anémique du foie de veau grâce auquel on réussit, par la suite, à interrompre le développement du mal de Biermer (anémie pernicieuse).
En 1928-1929, Castle émit une hypothèse selon laquelle la substance capable de soigner l'anémie était composée d'un facteur extrinsèque d'origine alimentaire et d'un facteur intrinsèque présent dans la muqueuse gastrique.
En 1948 on isola, à partir du foie, une substance cristalline de couleur rouge, la vitamine B_{12} et l'on découvrit qu'il s'agissait du facteur extrinsèque de Castle. La structure chimique de cette vitamine fut déterminée en 1955.
La vitamine B_{12} est très répandue dans la nature, en particulier dans les organismes animaux. C'est donc de la viande, du lait et de ses dérivés que nous la tirons (le foie reste la source alimentaire la plus riche en vitamine B_{12}).
Cette substance est synthétisée par de nombreux microorganismes dans la nature. Certains d'entre eux (les schizomicètes) se développent et vivent dans les nodules des légumineuses (qui contiennent par conséquent de la vitamine B_{12}). Une alimentation à base de légumineuse permet aux adeptes de régimes végétariens qui ne consomment aucun dérivé animal, de ne pas souffrir de graves carences.
La vitamine B_{12}, contenue dans les aliments d'origine animale, est liée aux protéines et doit être libérée dans le tube digestif sous l'action de la chaleur, de l'acide chlorhydrique de l'estomac et des enzymes gastro-intestinales.
Il existe deux systèmes distincts d'absportion gastro-intesti-

nale des cobalamines. Le plus important est celui dans lequel le rôle de médiateur est joué par le "facteur intrinsèque de Castle". La vitamine doit d'abord se combiner à ce facteur intrinsèque, qui est une protéine contenant du sucre et sécrétée par la muqueuse stomacale. L'association vitamine-facteur intrinsèque, qui se constitue dans l'estomac, protège la vitamine contre la dégradation que pourraient opérer les enzymes intestinaux, et lui permet de parvenir en des points spécifiques de reconnaissance (récepteurs) situés sur la muqueuse de l'intestin grêle, puis d'y être absorbée.
La vitamine absorbée est amenée par le sang jusqu'au foie et aux autres organes. Environ de 3 à 8 microgrammes de vitamine B_{12} sont quotidiennement excrétés dans le tractus alimentaire avec la bile. Sur cette quantité, environ 1 microgramme est réabsorbé. Cette circulation entéro-hépatique permet aux adeptes d'un régime végétalien strict de ne pas souffrir d'une trop grande carence en vitamine B_{12} à condition qu'ils consomment assez de légumineuses et que leur intestin fonctionne normalement.
Une certaine proportion de vitamine B_{12} est rejetée également dans les urines.
La vitamine B_{12} traverse le placenta de la mère pour parvenir au fœtus; à la naissance, le niveau de cette vitamine dans le sang du nouveau-né est de trois à cinq fois supérieur à celui de sa mère.
La vitamine B_{12} participe à de nombreuses réactions métaboliques et est indispensable au bon déroulement de différentes réactions enzymatiques. A l'heure actuelle on tend à considérer la cyanocobalamine et l'hydroxycobalamine comme des formes chimiques de transition. Les groupes CN de la cyanocobalamine et le groupe OH de l'hydroxycobalamine doivent être remplacés pour qu'apparaisse la coenzyme active.
La vitamine B_{12} est indispensable à la croissance, à la formation du sang, et des cellules épithéliales, ainsi qu'au main-

tien en bon état de la myéline (graisse phosphorée constitutive de la gaine des fibres du système nerveux central).
Les réserves hépatiques en vitamine B_{12} sont très importantes (2 à 3 mg) alors que les besoins physiologiques sont minimes; les carences en vitamine B_{12} sont donc très rares: le foie possède des réserves suffisantes pour 3 ans environ.

VITAMINE B_{13}
Voir **Orotique (acide).**

VITAMINE B_{14}
Voir **Xantoptérine.**

VITAMINE B_{15}
Voir **Pangamique (acide).**

VITAMINE Bc
Dite aussi *vitamine Bg, vitamine M, vitamine L_1* ou *vitamine B_9*. Elle est plus connue sous le nom "d'acide folique" (de feuille). Son nom chimique exact est "acide ptérolglutamique". C'est une vitamine hydrosoluble.
En 1945, on détermina sa structure chimique et sa synthèse fut réalisée en laboratoire.
L'acide folique est très répandu dans la nature. Il abonde en particulier dans les feuilles vert foncé. On en trouve d'importantes quantités dans les épinards, les asperges, les pastèques, les carottes, les pommes de terre, les levures, le foie, les rognons et les œufs.
Il est présent à dose infinétisimale dans toutes les cellules.
L'acide folique est absorbé par l'intestin grêle mais il doit

au préalable subir une transformation de la part d'une enzyme qui peut être inhibée par certains médicaments tels que les barbituriques, la phénytoïne (anticonvulsifs) et les contraceptifs. Ces substances peuvent provoquer des carences en vitamine Bc.
L'acide folique est éliminé dans la bile et les fèces. L'acide tétrahydrofolique et ses dérivés ont dans l'organisme la fonction de transporter des unités monocarbonées, c'est-à-dire des groupes chimiques formés d'un atome de carbone lié à des atomes d'hydrogène et d'oxygène dans de complexes combinaisons caractéristiques de la chimie organique. Ces groupes chimiques sont indispensables à la formation des substances biochimiques qui composent l'organisme; l'acide tétrahydrofolique participe en particulier au métabolisme des acides aminés et donc des protéines et à la formation des bases puriques et pyrimidiques (voir **Reproduction**), dépositaires du code génétique selon la biologie moderne.
La carence en acide folique, intervenant sur la synthèse des acides nucléiques, provoque des anomalies au niveau des processus de division cellulaire qui apparaissent en particulier dans l'érythropoïèse (formation des globules rouges).
Chez l'homme, la carence en vitamine Bc provoque une anémie mégaloblastique associée à une diminution du nombre des globules blancs. Ce n'est que par des examens approfondis que l'on peut distinguer l'hypovitaminose B_{12}.

VITAMINE C

Dite aussi *vitamine antiscorbutique*. Son nom chimique est "acide ascorbique". C'est une vitamine hydrosoluble. D'un point de vue chimique, elle est très proche des sucres à six atomes de carbone, comme les glucoses (hexoses).
Le syndrome carentiel de la vitamine C est le scorbut, l'une des plus anciennes maladies de l'homme.

La première description précise de cette maladie remonte au XIIIe siècle. Pendant des centaines d'années ce fléau a été la cause d'une importante mortalité parmi les équipages de navires au long cours. En 1928, Szent Györgyi isola un composé appelé acide hexuronique qui se révéla identique à la vitamine C obtenue à partir du jus de citron. La structure chimique de la vitamine fut déterminée en 1932 et fut baptisée acide ascorbique.
Cette vitamine dont l'importance, certes capitale, a été cependant quelque peu exagérée, se trouve dans tous les légumes frais, dans les fruits et dans certains aliments d'origine végétale. Elle est très abondante dans le chou, les tomates, le persil, les oignons, les agrumes et les châtaignes.
La plupart des animaux synthétisent l'acide ascorbique nécessaire au fonctionnement de leur métabolisme. L'homme ainsi que certains vertébrés comme le singe et le cobaye dépendent complètement de l'apport alimentaire.
La vitamine C est la plus sensible à la chaleur et au vieillissement. En réalité pendant la cuisson, plus encore que la chaleur, c'est le fort degré de solubilité de l'acide ascorbique qui provoque les importantes déperditions vitaminiques. La pasteurisation du lait réduit fortement sa teneur en vitamine C. Il faut par conséquent ajouter très rapidement des jus de fruits au régime des bébés nourris au biberon.
La vitamine C est absorbée par l'intestin grêle; cette absorption peut être perturbée par divers troubles gastro-intestinaux. L'élimination s'effectue par les urines, les fèces et la sueur. Dans les urines, l'acide ascorbique est éliminé dans une proportion d'environ 55% sous la forme d'acide oxalique. Cette remarque a son importance; en effet, l'acide oxalique participe à la genèse des calculs réno-urétraux (voir **Hypervitaminose C**).
La fonction de l'acide ascorbique dans le métabolisme n'a pas été encore complètement éclaircie. Il est présent en forte

proportion dans le cortex surrénal, les leucocytes, et dans le cristallin.
D'une manière générale, on peut dire que la vitamine C joue un rôle fondamental dans la régulation du potentiel d'oxydoréduction des cellules; c'est-à-dire qu'elle équilibre certaines réactions chimiques cellulaires, en intervenant dans le transfert de groupes -OH (hydroxylation).
Les trois principaux processus d'hydroxylation à laquelle participe cette vitamine sont les suivants.

• *Hydroxylation des hormones stéroides surrénales.*

• *Hydroxylation de la proline.* C'est un acide aminé qui, se transformant en hydroxyproline , devient l'un des constituants fondamentaux du collagène (substance intercellulaire des tissus conjonctifs).

• *Hydroxylation de la phénylalanine et de la tyroxine.* Acides aminés participant à la synthèse des catécholamines (dopamine, adrénaline et noradrénaline), qui sont des substances jouant le rôle de neurotransmetteur (voir **Système neurovégétatif**).
En outre, la vitamine C est indispensable à l'absorption du fer au niveau de la muqueuse gastro-duodénale et une carence peut provoquer une anémie hypochrome (caractérisée par une réduction de l'hémoglobine dans les globules rouges qui pâlissent et rétrécissent) et une sidéropénie (carence en fer).
On pense que l'acide ascorbique augmente la résistance de l'organisme aux infections bactériennes et virales (par deux mécanismes différents). Elle est censée aussi accroître les capacités de travail, en particulier en cas d'efforts musculaires intensifs.
En ce qui concerne les maladies carentielles, rappelons que si le scorbut a pratiquement disparu, les hypovitaminoses "relatives" restent encore assez répandues.

Rudolf Hauschka lie la vitamine C à la lumière, soulignant que les personnes souffrant de ces carences ont précisément "soif de lumière". Il ajoute que le composant essentiel de cette substance est "de la lumière vivante matérialisée dans les feuilles et les plantes vertes".

VITAMINE D

Dite *calciférol*. Son histoire est étroitement liée au rachitisme qui fut identifié et décrit au XVIIe siècle, certains médecins français et un Anglais du nom de Dale-Percival mirent en évidence l'activité antirachitique de l'huile de foie de morue. Mais ce n'est qu'au XXe siècle que fut découverte la nature chimique de la vitamine D et l'effet bénéfique des rayons solaires.

La vitamine D est une vitamine liposoluble. D'un point de vue chimique, elle est étroitement liée aux stéroïdes (voir **Graisses**). Il existe deux formes actives de cette substance: une forme synthétique dite vitamine D_2 ou ergocalciférol, que l'on obtient par irradiation aux rayons ultraviolets de l'ergostérol (provitamine D_2), et une forme naturelle extraite de l'huile de foie de poissons, dite vitamine D_3 ou cholécalciférol.

La vitamine D_3 est produite naturellement grâce à l'irradiation par la lumière solaire du 7-déshydrocholécalciférol (provitamine D_3), présent dans la peau, en particulier dans les couches profondes, cette provitamine D_3 étant elle-même synthétisée à partir du cholestérol et d'autres stéroïdes. En général, si les conditions climatiques ne sont pas trop défavorables, l'exposition à la lumière du soleil permet la synthèse d'une quantité de vitamine D suffisante à un adulte en bonne santé.

Les vitamines D sont des stéroïdes comme le cholestérol et de nombreuses hormones. On pense que cette substance contrôle le métabolisme du calcium.

Cette vitamine extrêmement importante se trouve dans les œufs, le beurre, le lait et surtout dans le foie des gros poissons (flétan, morue...). Les aliments végétaux, à de rares exceptions près (certains champignons, par exemple), contiennent peu de vitamine D à moins qu'ils n'aient été irradiés par les rayons ultraviolets.
Comme les graisses et les autres vitamines liposolubles, la vitamine D contenue dans les aliments est absorbée au niveau intestinal et se dépose surtout dans le foie, les reins et les poumons, mais aussi dans les tissus adipeux.
Les syndromes de mauvaise absorption lipidique comportent aussi une carence en vitamine D et en autres vitamines liposolubles.
Le rôle physiologique principal de la vitamine D est de réguler le métabolisme du calcium en association avec les hormones excrétées par les glandes parathyroïdes. La vitamine D a comme fonction de transporter activement le calcium. Les organes cibles sont les cellules de la muqueuse intestinale et celles des os qui libèrent du calcium et du phosphore en cas de nécessité.
Chez l'enfant, une carence en vitamine D peut se manifester sous la forme du rachitisme. Cette maladie assez répandue frappe surtout les enfants de six à dix-huit mois.
Elle peut apparaître plus tôt, surtout chez les prématurés dont les réserves en calcium sont moins importantes que celles des bébés nés à terme.
Chez l'adulte, cette hypovitaminose peut provoquer une ostéomalacie (ramollissement progressif des os).
L'irradiation du lait à la lumière solaire peut en augmenter la teneur en vitamine D. On peut donc utiliser cette méthode pour enrichir une diète en vitamine D, malheureusement il faut préciser que l'on risque de cette manière de provoquer de graves altérations des autres vitamines. L'exposition raisonnable du corps au soleil peut être une bonne thérapie pré-

ventive du rachitisme, en particulier pour les bébés vivant en milieu urbain et peu ensoleillé.
La vitamine D est de toutes les vitamines la plus dangereuse en cas d'absorption abusive (voir **Hypervitaminose D**).
Rudolf Hauschka souligne que les lipoïdes (catégorie à laquelle appartient cette vitamine) sont en général impliqués dans la construction des tissus de soutien et des membranes cellulaires. Pour lui, ces substances sont porteuses de forces structurantes. C'est la carence de ces forces, dit-il, qui provoque le rachitisme. La vitamine D, ajoute-il, n'est pas seulement une force chimique mais une force de création universelle.

VITAMINE E

Dite aussi *tocophérol*. Elle est considérée comme la vitamine antistérilité. Aux environs de 1920, des chercheurs constatèrent que des animaux de laboratoire, soumis à une diète strictement lactée, cessaient de se reproduire. En 1922, on découvrit que l'absence d'un certain facteur alimentaire provoquait la mort du fœtus porté par des rats, jusque-là en bonne santé, alors que l'ovulation et la conception s'étaient déroulées normalement. Chez les rats mâles, la carence de ce facteur alimentaire se manifestait par une altération du tissu séminal. Ce facteur fut baptisé "vitamine de la fécondité". La vitamine E est liposoluble; elle est chimiquement proche des quinones. L'alpha-tocophérol est la forme sous laquelle elle se présente le plus fréquemment dans la nature et qui possède l'activité biologique la plus importante.
La vitamine E se trouve dans les céréales et surtout dans leurs germes. Elle est très répandue dans le règne végétal (légumes et huiles), mais elle n'est présente qu'en petite quantité dans les organismes animaux.
La vitamine contenue dans les aliments est hydrolysée dans

l'intestin grêle et absorbée à travers la paroi intestinale dans une proportion d'environ 35%. Le reste est éliminé avec les fèces. La partie absorbée se dirige vers le foie, les tissus adipeux, l'hypophyse, les glandes surrénales, l'utérus et les testicules. La vitamine E a surtout une action anti-oxydante, c'est-à-dire qu'elle empêche l'oxydation spontanée de substances insaturées essentielles au bon fonctionnement du métabolisme cellulaire.
Selon certains, la vitamine E interviendrait dans la synthèse de groupe de l'"hème", c'est-à-dire du groupe chromophore de l'hémoglobine, responsable du transport de l'oxygène dans le sang.
Les carences spontanées en vitamine E sont la plupart du temps dues à des troubles de l'absorption (comme des déficiences en sels biliaires dans le duodénum), à des excès d'acide gras insaturés dans les aliments ou à une insuffisance de bêtalipoptotéïne dans le sang.
On observe des carences en vitamine E chez les bébés prématurés, qui se manifeste par une anémie hémolytique (avec destruction des globules rouges).
Chez l'adulte, on n'a pas encore prouvé l'existence de troubles carentiels comparables à ceux que l'on obtient sur les animaux de laboratoire. On signale toutefois des anomalies du type dystrophie musculaire qui peuvent rappeler les syndromes carentiels apparus sur les cobayes.

VITAMINE F

C'est une *pseudovitamine* qui regroupe un ensemble d'acides gras polyinsaturés: linoléique, linolénique et arachidonique. L'organisme humain est capable de synthétiser l'acide arachidonique à partir de l'acide linoléique. Seuls donc les acides linolénique et linoléique sont à proprement parler des acides essentiels.

Les acides gras insaturés ont une importance primordiale pour le rat chez qui une absence totale de ces substances provoque une chute de poils, des troubles de l'hydratation, la stérilité et enfin la mort.
Chez l'homme on n'a pas observé de phénomènes semblables, ne serait-ce que parce qu'un régime absolument sans aucun acide gras est difficilement réalisable.
La vitamine F est une pseudovitamine car les graisses ayant une valeur énergétique, elle n'entre pas dans la catégorie des véritables vitamines qui agissent à dose infinitésimale.
Les graisses polyinsaturées sont présentes dans toutes les cellules et sont nécessaires à la synthèse des lipides. Pour pouvoir accomplir cette dernière fonction, elles ont besoin de la présence des vitamines B_6 et E.
Elles entrent dans la compositon des membranes cellulaires puisqu'elles sont des constituants des phospholipides (voir **Graisses**).
La vitamine F abonde dans certaines huiles végétales (de tournesol, de noix, de noisette, de lin...), mais elle est aussi présente dans le monde animal (acide arachidonique).
Cette pseudovitamine semble revêtir une grande importance dans l'alimentation des nourrissons alors que l'organisme adulte en possède des réserves non négligeables.
Les graisses polyinsaturées peuvent prévenir le dépôt de lipides et surtout de cholestérol dans les artères (elles diminueraient donc les risques d'artériosclérose). Ce sont des précurseurs de la prostaglandine. Le système multi-enzymatique qui catalyse la conversion des acides gras polyinsaturés en prostaglandine est appelé prostaglandinosynthèse.
On pense que certaines dermatoses (maladies de la peau), telles que l'excès de séborrhée, l'eczéma infantile, peuvent avoir comme cause concomitante une carence en vitamine F.
On a démontré, en outre, que l'acide linoléique exerce également d'autres activités biologiques. Ainsi, il permettrait la

prévention de l'hypertension artérielle, l'augmentation du rejet de cholestérol et une diminution des besoins en insuline.

VITAMINE H

Dite *biotine*. C'est une vitamine hydrosoluble qui appartient au groupe B. Il existe deux isomères de la biotine: la forme *alpha* que l'on trouve dans le jaune d'œuf et la forme *bêta* que l'on trouve dans le foie.
D'un point de vue chimique, la biotine est composée des molécules de deux substances à structure annulaire (dans lesquelles les atomes de carbone sont disposés en forme d'anneau) qui se nomment respectivement l'*imidazole* et thiofène (cette dernière contient un atome de soufre dans son anneau).
La lettre H désignant cette vitamine est dérivée de l'allemand *Haut* signifiant "peau". La biotine a été découverte grâce à des recherches menées dans des directions tout à fait différentes. D'une part, en Angleterre, on étudia un syndrome toxique dit "du blanc d'œuf" qui se révéla être causé par l'action d'une substance antivitaminique. D'autre part, on étudia les facteurs de croissance des levures. La conjonction des résultats de ces recherches permit l'identification de la vitamine H.
Le syndrome toxique en question se développait chez les rats dont l'unique source de protéine était le blanc d'œuf. Il se caractérisait par des troubles neuromusculaires, des lésions cutanées et des chutes de poils. On remarqua qu'il était possible de prévenir ces dysfonctionnements en cuisant le blanc d'œuf ou en ajoutant à la diète de la levure ou du foie. La substance extraite du foie et qui empêchait l'apparition du syndrome carentiel fut baptisée facteur de protection X et fut ensuite identifiée comme la biotine. De la même manière, le facteur de croissance de la levure fut identifié et assimilé à la biotine.

On découvrit en outre que le "syndrome du blanc d'œuf" n'était pas une manifestation carentielle mais qu'elle était provoquée par la présence dans le blanc d'œuf d'une substance protéinique appelée "avidine", détruite à la chaleur, qui possède une action antivitaminique à l'égard de la biotine.
La vitamine H se trouve dans de nombreux végétaux: choux, champignons, carottes, tomates, épinards, arachides, mais aussi dans le jaune d'œuf, le foie et les rognons, sans oublier bien entendu la levure.
La biotine contenue dans les aliments est absorbée au niveau de l'intestin grêle et est véhiculée par le sang dans les tissus, en particulier dans la peau qui en contient des quantités élevées. La biotine est éliminée avec les urines et les fèces.
Les bactéries intestinales synthétisent de la vitamine H, mais l'apport alimentaire reste indispensable.
La vitamine H intervient comme coenzyme dans le métabolisme des sucres, des graisses et des protéines.

VITAMINE K

Dite aussi *phyloquinone*. Connue sous le nom de vitamine antihémorragique.
En 1929, pour la première fois, on émit l'hypothèse de l'existence d'un facteur antihémorragique dans les lipides. En effet, on observa chez des animaux soumis à une diète sans graisse des suffusions de sang anormales.
La vitamine K est liposoluble. Un nombre important de substances chimiques possèdent une activité vitaminique K. Dans la nature, on distingue simplement la vitamine K_1 et la vitamine K_2.
La vitamine K est présente dans les légumes tels que les choux et les épinards.
A la différence des autres vitamines, elle est synthétisée en abondance par les bactéries normalement présentes dans la

flore intestinale. Les avitaminoses K sont assez rares, elles résultent généralement d'un trouble de l'absorption. Ces carences se manifestent au cours de maladies des voies biliaires ou après des intoxications ou affections hépatiques.
Les nouveau-nés présentent une hypothrombinémie (diminution de la prothrombine dans le sang), qui dure quelques jours après leur naissance, jusqu'à ce que la flore intestinale qui assure un apport suffisant en vitamine K se soit développée.
La vitamine K est absorbée par l'intestin et circule à travers les vaisseaux lymphatiques. Au niveau du foie, sa présence est indispensable à la synthèse de différents facteurs de coagulation (prothrombine, proconvertine, facteur Christmas, facteur Stuart).
L'hypovitaminose K favorise les hémorragies (voir **Carences en vitamine K**).

VITAMINE P

Voir **Bioflavonoïdes**.

VITAMINE PP

Dite aussi *vitamine B_3, acide nicotinique* ou *niacine* ou *nicotinamide*. C'est une vitamine hydrosoluble. La nicotinamide et l'acide nicotinique dérivent de la pyridine et possèdent une activité biologique identique. Ces deux substances s'identifient à la vitamine PP.
En 1912, Kazimierz Funk prouva l'existence d'une substance vitaminique capable de prévenir la pellagre qui fut appelée vitamine PP (*Pellagra preveting factor* en anglais).
Plus tard, on établit un lien entre l'acide nicotinique que l'on connaissait depuis la fin du XIXe siècle et cette substance. Mais ce n'est qu'en 1937 que l'on démontra leur identité. On trouve de la vitamine PP dans la plupart des aliments, mais

elle abonde surtout dans le germe de blé, les levures, la cuticule de riz et de froment, dans la viande et le poisson.
L'absorption de cette vitamine se fait par voie intestinale et son élimination se fait par les urines.
La vitamine PP fait partie des coenzymes nécessaires au métabolisme des protéines, des hydrates de carbone et des graisses.
L'acide nicotinique peut être synthétisé par l'acide aminé tryptophane dans l'organisme des animaux et des humains. Toutefois, il est nécessaire d'en absorber avec les aliments afin de couvrir les besoins quotidiens de l'organisme, particulièrement importants chez les adolescents et les femmes enceintes ou allaitant un bébé.

VITAMINES DU GROUPE B

Toutes les vitamines du groupe B furent lontemps considérées comme une seule et même substance. Ce n'est qu'en 1920 que l'on commença à les différencier.
Dans la nature, elles sont associées à d'autres substances telles que les protéines, les lipides, les sucres, les sels minéraux dans la cuticule externe des céréales.
Certaines des substances de ce groupe sont de véritables vitamines, d'autres sont des pseudovitamines.

Facteurs vitaminiques du groupe B

B_1	Thiamine
B_2	Riboflavine
B_3	Vitamine PP, acide nicotinique, nicotinamide
B_4	Adénine (pseudovitamine)
B_5	Acide pantothénique
B_6	Pyridoxine
B_7	Choline (pseudovitamine)

B_8 Vitamine H, biotine
B_9 Vitamine Bc, acide folique
B_{10} Acide para-amino-benzoïque, PABA (pseudovitamine)
B_{11} Carnitine (pseudovitamine)
B_{12} Cobalamine
B_{13} Acide orotique
B_{14} Zantoptérine (pseudovitamine)
B_{15} Acide pangamique

VITAMINES ET PROCESSUS COSMIQUES

La phénoménologie tend à mettre en relation les substances chimiques et les processus cosmiques selon une vision unitaire dans laquelle trouvent place l'homme et la nature. Chaque partie est l'image d'un tout cosmique qui a gravé ses signes dans l'espace et dans le temps, dans une métamorphose de structures et de fonctions.
La méthode phénoménologique s'oppose à la science expérimentale qui offre une vision morcelée de l'univers.
Le fait d'étudier les aspects "essentiels" des substances facilite la compréhension de leur action physiologique. Rudolf Hauschka, chercheur en chimie, a divisé les vitamines selon des critères reposant sur cette approche globale de la nature.

	Essence	*Véhicules*	*Avitaminose*
Vitamine A	chaleur	huiles	arrêt du développement
Vitamine B	ordre	pelure	béribéri
Vitamine C	lumière	végétaux et feuilles	scorbut
Vitamine D	forme	lipoïdes	rachitisme

VITAMINES SYNTHETIQUES ET THERAPIE

Presque toutes les vitamines utilisées en thérapie ont été synthétisées en laboratoire ou ont été produites par culture de micro-organismes qui les biosynthétisent.

Dans les pays occidentaux, il est fait un usage inconsidéré de ces substances et l'on rencontre fréquemment des cas d'hypervitaminose. En revanche dans le tiers monde, de graves syndromes carentiels frappant surtout les enfants, subsistent (hypovitaminose A par exemple). En Occident, ces excès correspondent à une profonde incompréhension du fonctionnement de l'organisme humain. Nos contemporains préfèrent adopter une solution de facilité (avaler quelques cachets plus ou moins régulièrement) plutôt que de remettre en cause leur mode de vie et leur alimentation.

Il est illusoire de penser que notre santé va s'améliorer soudain, comme par enchantement, parce que nous avons absorbé certaines substances. L'essentiel est de nous trouver en harmonie avec nous-mêmes et le monde qui nous entoure. Mais la recherche de cette harmonie suppose un effort et une prise de conscience que nous ne sommes par toujours prêts à accomplir.

XANTOPTERINE

Dite *vitamine 14*. C'est une pseudovitamine. Elle possède une structure chimique annulaire. Il s'agit d'une substance de couleur jaune que l'on trouve dans le pigment des ailes des papillons et des guêpes. C'est l'un des composants de l'urine humaine.

L'acide folique contient dans sa molécule une substance proche de la xantoptérine. Certains affirment que la xantoptérine exerce une activité vitaminique mais cela n'a jamais été prouvé.

XEROPHTALMIE
Voir **Carence en vitamine A.**

Conclusion

Dans ce dictionnaire, nous avons tenté de mettre en évidence le rôle des vitamines dans l'équilibre physiologique de l'homme.

Comme vous l'avez constaté, nous sommes partis d'une double approche: scientifique et phénoménologique. Nous aimerions en conclusion insister une fois encore sur la nécessité de retrouver une vision unitaire de la nature, dans un siècle où les chercheurs ont tendance à fragmenter à l'infini la réalité.

Nous avons plusieurs fois fait allusion à la vision goethienne de la nature; ce grand poète allemand a en effet été l'un des initiateurs du renouveau de cette philosophie qui vise à restituer aux phénomènes du monde sensible leur dignité originelle.

C'est par une citation de Goethe que nous conclurons donc cet ouvrage.

"Tout ce qui est factuel est déjà théorie. Le bleu du ciel nous révèle une loi fondamentale de la chromatique. Ne cherchez rien derrière les phénomènes: ils représentent, en eux-mêmes la théorie".

Table des matières

Achevé d'imprimer
en juillet 1993
à Milan, Italie, sur les presses de
Lito 3 Arti Grafiche s.r.l.

Dépôt légal: juillet 1993
Numéro d'éditeur: 3340